CW00433968

LIVRE DE CUISINE AU FOUR HOLLANDAIS

365 JOURS DE RECETTES SAVOUREUSES POUR VOTRE MARMITE LA PLUS POLYVALENTE

Doalt Hack

CONTENU

INTRODUCTION

Bien qu'il porte le nom d'une ancienne puissance impériale européenne, le four hollandais est devenu synonyme de l'esprit pionnier américain. En fait, l'évolution du four est aussi légendaire et célébrée que la naissance de cette grande nation.

Les origines du four hollandais remontent à trois cents ans, lorsque l'Anglais Abraham Darby s'est rendu aux Pays-Bas pour étudier comment les Hollandais utilisaient des moules en sable sec pour couler des casseroles en laiton. De retour en Angleterre, Darby a commencé à perfectionner son propre procédé, qu'il a fini par breveter. En 1708, il s'est lancé dans la production de fours hollandais en métal moulé pour le vaste Empire britannique, qui comprenait les nouvelles colonies américaines.

Les colons américains appréciaient la durabilité, la polyvalence et la portabilité des marmites en fonte, qui pouvaient être utilisées pour faire bouillir, cuire, mijoter, frire et rôtir. George Washington aurait utilisé des fours hollandais pour nourrir ses troupes pendant la guerre d'indépendance de 1775 à 1783. Entre-temps, le four hollandais avait acquis une telle valeur dans les foyers américains qu'il était régulièrement mentionné dans les testaments des gens. Dans son testament daté du 20 mai 1788, la mère de Washington, Mary Ball Washington, a légué ses "meubles de cuisine en fer" - qui comprenaient plusieurs fours hollandais - à son petit-fils Fielding Lewis et à sa petite-fille Betty Carter.

Mais la véritable valeur de ce navire polyvalent est devenue plus apparente lorsque les Américains ont commencé à se déplacer vers l'ouest, à commencer par le capitaine Meriwether Lewis et le sous-lieutenant William Clark, qui ont mené la première expédition du Mississippi vers la côte du Pacifique à la demande du président Thomas Jefferson en 1804. Au cours de leur incursion de deux ans dans l'Ouest sauvage et indompté, Lewis et Clark ont fait un usage intensif de leurs fours à hollandais, cuisinant une variété de viandes, notamment du gibier, du chien et du cheval.

Lorsque l'on cuisine dans un four hollandais, qui était à l'origine connu sous le nom de multicuiseur, on utilise une grande et lourde marmite qui peut être utilisée pour préparer pratiquement tous les plats que l'on désire. Les fours hollandais se caractérisent par un couvercle hermétique et des parois épaisses en fonte, ce qui les rend particulièrement bien adaptés aux tâches de cuisson. Ceux qui ont déjà utilisé un four hollandais savent qu'il est capable de conserver la chaleur et que sa surface est antiadhésive. Un four hollandais électrique est simple à utiliser et à nettoyer. Il ne nécessite pas l'utilisation de techniques compliquées pour accomplir ces deux tâches. Par conséquent, ils font partie des appareils de cuisson les plus pratiques que l'on peut utiliser dans divers environnements de cuisine, que ce soit à l'intérieur ou à l'extérieur. En ce qui concerne le camping, le four hollandais est le meilleur ustensile de cuisine à posséder, et il est également largement considéré comme l'un des ustensiles de cuisine les plus polyvalents disponibles sur le marché aujourd'hui. Les fours hollandais sont des récipients de cuisson polyvalents qui peuvent être utilisés pour diverses tâches telles que le rôtissage, la cuisson au four, la friture, le grillage, la cuisson à l'étouffée, la cuisson à la vapeur, etc.

PETIT-DÉJEUNER ET BRUNCH

POCHETTES PB&J

DONNE 2 POCHES TEMPS DE PRÉPARATION : 10 MINUTES TEMPS DE CUISSON : 6 MINUTES

Il s'agit d'une délicieuse version du classique PB&J préparée au four hollandais. Cette recette, qui satisfera les enfants de tous âges, constitue l'activité intérieure parfaite pour divertir les troupes un dimanche matin pluvieux. Ils adoreront retrousser leurs manches et participer à la préparation !

POUR LES POCHES
2 tranches de pain blanc de 1 pouce d'épaisseur
2 cuillères à soupe de beurre d'arachide
2 cuillères à soupe de confiture (au choix : fraise, framboise, mûre ou myrtille)
2 œufs, légèrement battus
2 cuillères à soupe de lait
1 cuillère à café de sirop d'érable
¼ cuillère à café d'extrait de vanille
Une pincée de noix de muscade
Huile d'olive extra-vierge

POUR LES GARNITURES
Votre choix de crème fraîche, de miel, de baies fraîches ou de sirop pour crêpes.

1 Faites chauffer un four hollandais à feu doux.

2 Utilisez un couteau dentelé pour couper soigneusement horizontalement chaque tranche de pain jusqu'à ¼ de pouce de la croûte inférieure, créant ainsi une poche. Veillez à ne pas couper à travers la croûte.

3 Étalez une couche de beurre de cacahuète et une couche de confiture dans chaque poche, et mettez le pain de côté.

4 Dans un bol moyen, combinez les œufs, le lait, le sirop d'érable, l'extrait de vanille et la muscade, et fouettez jusqu'à ce que le tout soit bien combiné.

5 Huiler légèrement le four hollandais. Plongez une tranche de pain farci dans la pâte à l'œuf, en couvrant les deux côtés. Placez le pain dans le four hollandais et faites-le frire pendant 2 à 3 minutes, ou jusqu'à ce qu'il soit doré. Retourner le pain et faire frire l'autre côté. Répétez l'opération si nécessaire.

6 Servez 2 tranches avec un choix de garnitures.

CONSEIL DE CUISINE : *La beauté de ce plat est que vous pouvez en faire autant ou aussi peu que vous le souhaitez. Une grande foule ? Préparez un grand bol de pâte, et continuez à farcir et à frire jusqu'à ce que tout le monde soit servi.*

PETIT-DÉJEUNER RATATOUILLE AVEC CHORIZO, ŒUFS ET FROMAGE

POUR 4 À 6 PERSONNES ■ TEMPS DE PRÉPARATION : 10 MINUTES ■ TEMPS DE CUISSON : 50 MINUTES

Bien qu'elle soit présentée ici comme faisant partie d'un plat de petit-déjeuner, la sauce simple mais savoureuse aux légumes et au chorizo est extrêmement polyvalente - faites-en un peu plus et gardez-la pour accompagner un plat de pâtes en cas de besoin. Conservez-la dans un grand pot Mason au réfrigérateur ou dans des sacs en plastique au congélateur.

2 cuillères à soupe d'huile d'olive extra-vierge
5½ onces de chorizo, coupé en dés
2 oignons rouges, hachés
3 gousses d'ail, émincées
1 courgette, coupée en dés
1½ livre de champignons portobello
2 poivrons rouges, épépinés et coupés en dés
1 boîte de 15 onces de tomates hachées
2 cuillères à soupe de vinaigre de vin blanc
1¼ tasse d'eau, plus si nécessaire
1 cuillère à café de sucre
Sel
Poivre noir fraîchement moulu
4 œufs
5 onces de fromage parmesan, râpé

1 Préchauffez le four à 400°F.

2 Faites chauffer l'huile d'olive dans un faitout à feu moyen. Ajouter le chorizo, les oignons et l'ail, et faire cuire pendant 4 à 5 minutes.

3 Ajouter les courgettes, les champignons et les poivrons, et faire cuire pendant 2 à 3 minutes, en remuant de temps en temps.

4 Ajouter la boîte de tomates, incorporer le vinaigre, l'eau et le sucre, saler et poivrer. Portez à pleine ébullition, puis réduisez le feu pour faire mijoter à petit feu. Faites cuire pendant 25 à 30 minutes, en remuant de temps en temps. Si la sauce devient trop épaisse, ajoutez de l'eau.

5 Faites 4 puits profonds dans le mélange avec le dos d'une cuillère. Casser un œuf dans chaque puits. Saupoudrer le fromage sur le dessus. Faire cuire au four pendant 10 à 12 minutes, ou jusqu'à ce que la sauce bouillonne et que les œufs soient pris.

CONSEIL DE SUBSTITUTION : *Végétarien ? Remplacez le chorizo par des légumes, tels que l'aubergine ou la courge, pour obtenir une variante appétissante sans viande de ce plat de petit-déjeuner créatif.*

PANCAKE AUX POMMES

POUR 4 À 6 PERSONNES TEMPS DE PRÉPARATION : 10 MINUTES TEMPS DE CUISSON : 30 MINUTES

Qui n'aime pas se réveiller avec l'arôme d'une crêpe fraîchement cuite ? Ajoutez-y des pommes, de la noix de muscade et de la cannelle, et ce plat incontournable du samedi matin se transforme en un somptueux délice qui met l'eau à la bouche.

4 oeufs
½ tasse de farine tout usage non blanchie
½ cuillère à café de levure chimique
1 cuillère à soupe de sucre
Pincée de sel
1 tasse de lait
2 c. à soupe de beurre non salé, fondu
1 cuillère à café de noix de muscade moulue, divisée
½ tasse de sucre blanc, divisée
½ cuillère à café de cannelle moulue
4 cuillères à soupe de beurre non salé
1 grosse pomme, pelée, évidée et tranchée

1 Préchauffer le four à 425°F.

2 Dans un grand bol, mélangez les œufs, la farine, la levure chimique, 1 cuillère à soupe de sucre et le sel. Incorporez progressivement le lait, en remuant constamment. Ajoutez le beurre fondu et ½ cuillère à café de noix de muscade. Si possible, laissez la pâte reposer pendant 30 minutes.

3 Dans un petit bol, combinez ¼ de tasse de sucre, la cannelle et la ½ cuillère à café de noix de muscade restante.

4 Faites fondre les 4 cuillères à soupe de beurre dans un four hollandais à feu moyen-élevé.

5 Retirez la casserole de la cuisinière. Saupoudrez uniformément le mélange de sucre sur le beurre, puis tapissez le fond avec les tranches de pommes. Saupoudrez le ¼ de tasse de sucre restant sur le dessus.

6 Remettez la marmite sur un feu moyen-élevé. Lorsque le mélange commence à bouillonner, versez la pâte uniformément sur les pommes.

7 Couvrez, placez dans le four préchauffé et faites cuire pendant 15 minutes.

8 Réduire le feu à 375°F et cuire au four pendant 10 minutes, ou jusqu'à ce qu'un cure-dent en ressorte propre.

9 Utilisez une spatule en plastique pour détacher la crêpe, la faire glisser sur un plat de service, la couper en pointes et la servir.

CONSEIL DE CUISINE : *Pour ajouter un bel accent de noix, placez 8 à 10 noix de pécan entières sur le dessus de la crêpe avant d'enfourner.*

OMELETTE DE FÊTE FORAINE

POUR 6 À 8 PERSONNES TEMPS DE PRÉPARATION : 10 MINUTES TEMPS DE CUISSON : 30 MINUTES

L'ajout de saucisses transforme une omelette légère en un plat copieux qui rassasiera toute la famille et lui donnera de l'énergie pour toutes les tâches du week-end. Pour une touche savoureuse, remplacez la saucisse de petit-déjeuner par un mélange de porc et de bœuf, ou essayez des saucisses de poulet pour une option plus légère et plus saine.

2 cuillères à soupe d'huile d'olive, de coco ou de canola, ou d'aérosol de cuisson
½ livre de saucisses à déjeuner, coupées en tranches de 1/4 de pouce d'épaisseur dans le sens transversal
½ livre de bacon, coupé en tranches épaisses
½ oignon, coupé en dés
1 gousse d'ail, émincée
1 poivron rouge, épépiné et haché
1 tasse de champignons, hachés
9 œufs
½ tasse de lait
1 tasse de fromage cheddar râpé
Sel
Poivre noir fraîchement moulu

1 Préchauffer le four à 375°F.

2 Faites chauffer un four hollandais à feu moyen. Ajoutez l'huile ou un soupçon de spray de cuisson, et faites frire la saucisse jusqu'à ce qu'elle soit dorée, puis retirez-la et mettez-la de côté sur une assiette, en utilisant une serviette en papier pour absorber l'excès de graisse.

3 Faites frire le bacon jusqu'à ce qu'il soit bruni, et égouttez l'excès de graisse du four hollandais.

4 Ajouter la saucisse, l'oignon, l'ail, le poivron et les champignons. Faire sauter jusqu'à ce que les légumes soient tendres.

5 Dans un bol, mélangez les œufs et le lait, puis versez le mélange d'œufs dans la marmite.

6 Couvrez, placez dans le four chauffé et faites cuire pendant 20 minutes, ou jusqu'à ce que les œufs soient fermes.

7 Saupoudrer le fromage sur le dessus, et assaisonner de sel et de poivre. Remettez la marmite au four pendant quelques minutes, à découvert, jusqu'à ce que le fromage fonde. Servez.

CONSEIL DE CUISINE : *Pour ajouter une touche piquante du Sud-Ouest, garnissez l'omelette de salsa - douce, moyenne ou piquante, au choix.*

ŒUFS AU FOUR AVEC POLENTA CRÉMEUSE

POUR 4 À 6 PERSONNES · TEMPS DE PRÉPARATION : 5 MINUTES · TEMPS DE CUISSON : 45 MINUTES

Avec un temps de préparation minimal, c'est le brunch idéal à préparer lorsque vous recevez des invités pour la nuit. Laissez le four hollandais faire le plus gros du travail pendant que vous vous installez confortablement pour retrouver vos amis et votre famille autour d'une tasse de café bien chaude.

Vaporisateur de cuisson
½ tasse de polenta instantanée
1 tasse d'eau
1 tasse de lait
½ tasse de fromage pecorino romano finement râpé
Une pincée de sel
Une pincée de poivre noir fraîchement moulu
4 œufs

1 Préchauffer le four à 375°F.

2 Enduire généreusement un four hollandais de spray de cuisson. Ajouter la polenta, l'eau, le lait, le fromage, le sel et le poivre. Remuer.

3 Couvrir, placer dans le four chauffé et faire cuire pendant 30 à 35 minutes, en remuant une fois à mi-cuisson, jusqu'à ce que la polenta soit tendre.

4. Avec le dos d'une cuillère, creusez quatre puits profonds dans la polenta, puis déposez un œuf dans chaque puits. Couvrez la casserole et faites cuire au four pendant 10 à 12 minutes, ou jusqu'à ce que les blancs d'œufs soient cuits.

ASTUCE DE SUBSTITUTION : *Pas de polenta ? Pas de problème ! Vous pouvez la remplacer par de la farine de maïs. Vous cherchez d'autres options ? Si vous préférez que vos œufs soient un peu plus fermes, faites-les cuire pendant quelques minutes de plus. Pour une touche de délectation, servez avec une cuillerée de pesto.*

LASAGNES DU PETIT-DÉJEUNER

POUR 6 À 8 PERSONNES ▪ TEMPS DE PRÉPARATION : 10 MINUTES ▪ TEMPS DE CUISSON : 2 HEURES

La lasagne est un plat italien traditionnel originaire de la ville côtière de Naples. Ici, des tortillas, de la salsa verde et du fromage Monterey Jack lui donnent un coup de jeune dans le Sud-Ouest - et une touche sans gluten.

Vaporisateur de cuisson
1 livre de saucisse de petit déjeuner, sans boyaux
1 poivron vert, épépiné et haché
5 oeufs, battus
2 oignons verts, tranchés
¼ tasse de persil frais haché
½ cuillère à café de sel
½ cuillère à café de cumin
9 tortillas de maïs
2 tasses de fromage Monterey Jack râpé, divisé
1 pot (8 onces) de salsa verde, divisé

1 Préchauffer le four à 325°F.

2 Enduire légèrement un four hollandais d'aérosol de cuisson. Faire cuire la saucisse à feu moyen-élevé jusqu'à ce qu'elle soit dorée, en utilisant une spatule en plastique ou en bois pour briser la viande pendant la cuisson. Égoutter le gras. Ajouter le poivron vert, remuer et faire cuire pendant 1 minute. Ajouter les œufs et cuire à feu moyen jusqu'à ce qu'ils soient pris, en remuant pour briser les œufs. Ajouter les oignons verts, le persil, le sel et le cumin, et remuer. Transférer le mélange de saucisses dans un grand bol.

3 Placez 3 des tortillas dans le fond du four hollandais, en les superposant au besoin. Déposer la moitié du mélange de saucisses sur la base des tortillas, saupoudrer le mélange de ½ tasse de fromage, puis verser ⅓ tasse de salsa verde sur le dessus. Recouvrez de 3 autres tortillas. Ajouter le reste du mélange de saucisses, saupoudrer d'une autre ½ tasse de fromage, puis verser les ⅔ de tasse de salsa verde restants sur le dessus. Couvrir avec les 3 tortillas restantes, et saupoudrer le 1 tasse de fromage restant sur le dessus.

4 Couvrez et faites cuire pendant 1½ heure.

CONSEIL DE CUISSON : *à l'aide de deux spatules et d'un peu de coordination, retirez les lasagnes du four hollandais avant de les couper pour éviter d'endommager le revêtement émaillé avec un couteau. Si désiré, garnir de crème sure et d'oignons verts tranchés avant de servir.*

SOUFFLÉ AU FROMAGE ET AUX POMMES DE TERRE

POUR 6 À 8 PERSONNES TEMPS DE PRÉPARATION : 20 MINUTES TEMPS DE CUISSON : 20 MINUTES

Un soufflé est une omelette classique qui s'allège en séparant et en battant les blancs d'œufs. Mais les pommes de terre coupées en tranches garantissent que ce petit plaisir spécial du petit déjeuner est suffisamment consistant pour remplir les petits ventres. La surface antiadhésive du four hollandais en fait un partenaire de cuisson idéal.

2 cuillères à soupe de beurre
4 échalotes, finement hachées
8 pommes de terre nouvelles, cuites et coupées en fines tranches
8 œufs, séparés
1 cuillère à café d'assaisonnement italien
1 tasse de fromage râpé (Monterey Jack ou Cheddar)
Sel
Poivre noir fraîchement moulu

1 Préchauffer le four à 325°F.

2 Faire fondre le beurre dans un faitout à feu moyen. Ajoutez les échalotes et faites-les sauter jusqu'à ce qu'elles commencent à ramollir et à brunir. Superposer les tranches de pommes de terre dans la marmite et poursuivre la cuisson jusqu'à ce qu'elles soient chaudes.

3 Dans un bol moyen, mélanger les jaunes d'œufs, l'assaisonnement italien, le fromage, le sel et le poivre, et battre jusqu'à ce que le mélange soit mousseux. Dans un autre bol, battre les blancs d'oeufs en neige.

4 Incorporez environ la moitié des blancs au mélange de jaunes d'œufs. Lorsque le mélange est complet, incorporer le reste des blancs d'œufs. Verser ce mélange dans le four hollandais, et le répartir sur les pommes de terre. Faire cuire pendant 2 à 3 minutes, jusqu'à ce que le mélange soit légèrement bruni et que le fond soit pris. Le dessus doit être encore humide et liquide.

5 Placez dans le four chauffé, à découvert, et faites cuire jusqu'à ce que le dessus gonfle et prenne une belle couleur dorée.

PAIN AU POTIRON ET AUX MYRTILLES

POUR 8 PERSONNES ■ TEMPS DE PRÉPARATION : 20 MINUTES ■ TEMPS DE CUISSON : 1 HEURE

L'ajout d'épices pour tarte à la citrouille fait de cette recette un favori de l'automne, mais ce pain pour le petit déjeuner est excellent à tout moment de l'année. Pour une variante légèrement acidulée, remplacez les bleuets par des canneberges. En dehors de la saison, utilisez des baies congelées.

2 œufs
1 tasse de citrouille en conserve
1 tasse de sucre
½ tasse d'huile végétale
2 tasses de farine tout usage
1½ cuillère à café d'épices pour tarte à la citrouille
1 cuillère à café de bicarbonate de soude
½ cuillère à café de sel
1 tasse de myrtilles fraîches ou surgelées, divisée en deux parties
1 cuillère à soupe de farine tout usage
Vaporisateur de cuisson

1 Préchauffer le four à 325°F.

2 Dans un bol moyen, mélangez les œufs, le potiron, le sucre et l'huile végétale.

3 Dans un grand bol, mélangez la farine, les épices pour tarte à la citrouille, le bicarbonate de soude et le sel. Videz le mélange de citrouille dans le mélange de farine et remuez.

4 Dans un petit bol, combinez les myrtilles et la cuillère à soupe de farine, et mélangez délicatement. Puis incorporez délicatement ⅔ tasse de myrtilles à la pâte.

5 Déposez la pâte à la cuillère dans un four hollandais, légèrement enduit de spray de cuisson. Garnir avec les ⅓ de tasse de bleuets restants.

6 Couvrez, mettez au four et faites cuire pendant environ une heure, ou jusqu'à ce qu'un cure-dent en ressorte propre.

CONSEIL DE CUISINE : *Avant de retirer le pain du four hollandais, laissez-le refroidir pendant environ 10 minutes. Utilisez ensuite une large spatule en bois ou en plastique pour détacher les côtés du pain, et videz-le délicatement sur une grille pour finir de refroidir.*

QUICHE AU FROMAGE ET AUX LÉGUMES SANS CROÛTE

POUR 6 PERSONNES TEMPS DE PRÉPARATION : 30 MINUTES TEMPS DE CUISSON : 1½ HEURE

Délicieuses en soi, les quiches sont également un excellent moyen d'utiliser les restes. N'hésitez pas à y substituer les légumes ou la viande (pour une option non végétarienne) qui vous restent après le dîner de la veille.

2 cuillères à soupe d'huile d'olive extra-vierge
8 onces de pommes de terre, coupées en dés
1 courge d'été jaune, coupée en dés
1 poivron rouge, coupé en morceaux
4 oignons verts, coupés en tranches
6 œufs, légèrement battus
1½ tasse de lait
2 cuillères à soupe de persil frais haché
Sel
Poivre noir fraîchement moulu
1½ tasses de fromage cheddar râpé, divisé
Vaporisateur de cuisson

1 Préchauffer le four à 325°F.

2 Dans un four hollandais à feu moyen, faites chauffer l'huile d'olive et faites cuire les pommes de terre pendant 8 à 10 minutes, ou jusqu'à ce qu'elles soient légèrement dorées.

3 Ajouter la courge et faire cuire pendant 4 minutes. Incorporer le poivron rouge et faire cuire pendant 2 minutes. Incorporer les oignons verts et retirer le four hollandais du feu. Transférer les légumes dans un bol de taille moyenne.

4 Dans un grand bol, mélanger les œufs, le lait et le persil, et assaisonner de sel et de poivre. Incorporer les légumes cuits et 1 tasse de fromage.

5 Enduisez légèrement le four hollandais d'un spray de cuisson, versez le mélange de légumes et saupoudrez la ½ tasse de fromage restante.

6 Couvrez, placez dans le four chauffé et faites cuire pendant environ 1½ heure, ou jusqu'à ce qu'un couteau inséré au centre en ressorte propre.

GÂTEAU DE JAMBON, FROMAGE ET POMMES DE TERRE

POUR 8 PERSONNES ▪ TEMPS DE PRÉPARATION : 10 MINUTES ▪ TEMPS DE CUISSON : 2 HEURES

Si vous n'avez pas de muffins anglais sous la main, utilisez n'importe quel type de pain grillé. Si vous utilisez de grandes tranches de pain, coupez-les en deux pour les adultes et en soldats (fines bandes de pain grillé) pour les assiettes des enfants. Ce plat peut facilement être adapté aux personnes sensibles au gluten en remplaçant le pain par du pain sans gluten.

Vaporisateur de cuisson
4 tasses de pommes de terre rissolées en dés surgelées
8 onces de jambon cuit, haché
1 tasse de fromage Muenster râpé
1 poivron rouge, haché
1 oignon, haché
6 œufs, légèrement battus
1 boîte (15 onces) de crème de champignons condensée
½ tasse de lait
Sel
Poivre noir fraîchement moulu
8 muffins anglais, fendus et grillés

1 Préchauffer le four à 325°F.

2 Dans un four hollandais enduit de spray de cuisson, combiner les pommes de terre, le jambon, le fromage, le poivron rouge et l'oignon.

3 Dans un bol moyen, mélanger les œufs, la soupe et le lait. Assaisonner de sel et de poivre noir, puis verser le mélange d'œufs sur le mélange de pommes de terre.

4 Couvrez, placez dans le four chauffé et faites cuire pendant 1½ à 2 heures.

5 Servir sur des muffins anglais fraîchement grillés.

CONSEIL DE SUBSTITUTION : *Certaines personnes ne sont pas fans des pommes de terre rissolées. Dans ce cas, il suffit d'y substituer 4 tasses de pommes de terre en dés.*

FRITTATA AUX COURGETTES ET AU GRUYÈRE

POUR 8 PERSONNES TEMPS DE PRÉPARATION : 20 MINUTES TEMPS DE CUISSON : 2 HEURES

Ce pudding savoureux peut être adapté de mille façons, en utilisant n'importe quelle combinaison de pain, d'œufs, de fromage et de légumes - ou de viande, pour les carnivores. Il est facile à préparer, rassasiant et savoureux, ce qui en fait le plat idéal pour le brunch du dimanche.

2 cuillères à soupe d'huile d'olive extra-vierge
3 courgettes, coupées en dés
6 tasses de pain plat italien ou focaccia, coupé en petits cubes
2 tasses de fromage gruyère râpé
2 cuillères à soupe de persil frais haché
1 cuillère à café de thym frais haché (ou ¼ de cuillère à café de thym séché, écrasé)
6 œufs, légèrement battus
2 tasses de lait
Sel
Poivre noir fraîchement moulu

1 Préchauffer le four à 325°F.

2 Dans un four hollandais à feu moyen-élevé, faire chauffer l'huile d'olive jusqu'à ce qu'elle scintille. Ajouter les courgettes et les faire cuire jusqu'à ce qu'elles soient légèrement dorées. Transférer les courgettes dans un grand bol.

3 Ajouter les cubes de pain, le gruyère, le persil et le thym aux courgettes, et mélanger le tout. Verser le mélange dans le four hollandais.

4 Dans le même bol, fouettez les œufs et le lait ensemble, et assaisonnez de sel et de poivre noir. Versez le mélange d'œufs sur le mélange de pain, en veillant à ce que tout le pain soit couvert.

5 Couvrez, placez dans le four chauffé et faites cuire pendant 2 heures, ou jusqu'à ce qu'un couteau inséré au centre en ressorte propre.

CONSEIL DES INGRÉDIENTS : *Bien qu'elle soit souvent associée à la cuisine italienne, la courgette est originaire des Amériques. Utilisée depuis longtemps en Amérique centrale et du Sud - plusieurs milliers d'années, en fait - cette courge verte d'été n'a été introduite en Europe que lorsque Christophe Colomb a ramené des graines de son voyage transatlantique.*

JAMBON ET POMMES DE TERRE AU GRATIN

POUR 4 À 6 PERSONNES ▪ TEMPS DE PRÉPARATION : 5 MINUTES ▪ TEMPS DE CUISSON : 30 MINUTES

Si vous obtenez des restes, servez ce plat gratiné pour un délicieux goûter. Il constitue une garniture savoureuse satisfaisante sur une tranche épaisse de pain grillé texan.

4 cuillères à soupe de beurre
1 oignon, émincé
2 tasses de lait
3 cuillères à soupe de farine
1½ tasse de jambon cuit coupé en dés
3 tasses de pommes de terre en dés
Sel
Poivre noir fraîchement moulu
½ tasse de fromage cheddar râpé

1 Préchauffez le four à 400°F.

2 Faites fondre le beurre dans un faitout à feu moyen. Faire sauter l'oignon, ajouter le lait et remuer.

3 Incorporer progressivement la farine, en remuant constamment, jusqu'à ce que le mélange épaississe.

4 Ajouter le jambon et les pommes de terre, et bien mélanger. Assaisonnez de sel et de poivre, et saupoudrez le fromage sur le dessus.

5 Couvrez, placez dans le four chauffé et faites cuire pendant 20 minutes.

HACHIS DE PETIT-DÉJEUNER BROUILLÉ

POUR 6 PERSONNES TEMPS DE PRÉPARATION : 10 MINUTES TEMPS DE CUISSON : 2 ½ HEURES

Ce plat décadent constitue un fantastique petit-déjeuner d'après-fêtes. À la place des saucisses indiquées ici, utilisez simplement les restes de viande de vos fêtes dans ce délicieux hachis. Essayez le jambon, la dinde, le kielbasa, la poitrine de bœuf ou tout ce que vous avez sous la main, même le saumon cuit ou fumé. Cette recette fonctionne aussi merveilleusement bien avec des substituts de viande comme le tofu assaisonné ou les crumbles de légumes.

2 cuillères à soupe d'huile d'olive extra-vierge
1 livre de sau sau au petit déjeuner, en dés
4 pommes de terre Yukon Gold de taille moyenne, ha ha ha ha
8 onces de champignons en tranche
1 oignon, haché
Sel
Poivre noir fraîchement moulu
6 œufs
3 cuillères à soupe de lait
½ tasse de fromage râpé (cheddar ou Monterey Jack)
Salsa ou sauce au piment fort, pour garnir

1 Préchauffer le four à 325°F.

2 Faites chauffer l'huile d'olive dans un four hollandais à feu moyen-élevé, et faites cuire les saucisses jusqu'à ce qu'elles soient dorées. Égoutter la graisse. Ajoutez les pommes de terre, les champignons et l'oignon, assaisonnez de sel et de poivre, et remuez doucement. Couvrez, placez dans le four chauffé, et faites cuire pendant 1½ à 2 heures, ou jusqu'à ce que les pommes de terre soient tendres.

3 Dans un bol moyen, fouetter ensemble les œufs et le lait. Verser le mélange d'œufs sur le mélange de pommes de terre. Saupoudrer le fromage sur le dessus. Couvrir et cuire au four pendant 10 à 15 minutes, ou jusqu'à ce que les œufs soient pris et que le fromage soit fondu.

4 Garnir de salsa ou de sauce au piment fort.

CONSEIL DE CUISINE : *Pour changer les choses, faites un hachis à l'envers au lieu d'un hachis brouillé en omettant le lait ; puis, au lieu de fouetter les œufs, cassez-les directement sur le mélange de pommes de terre avant de saupoudrer le fromage et de mettre au four.*

GAUFRES GARNIES DE FRUITS

POUR 8 PERSONNES TEMPS DE PRÉPARATION : 5 MINUTES TEMPS DE CUISSON : 2 HEURES

La garniture aux fruits est si savoureuse que sa popularité n'est pas surprenante. Pensez à en faire une très grande quantité et à en congeler la moitié : vous l'apprécierez les jours où vous devrez préparer un petit-déjeuner en un rien de temps.

Huile d'olive extra-vierge, pour le graissage
3 poires, évidées et coupées en cubes
1 boîte de 15 onces d'ananas en morceaux, non égoutté
1 boîte de cerises rouges douces dénoyautées de 15 onces, non égouttées
1 tasse d'abricots secs coupés en quatre
2 cuillères à soupe de sucre brun
1 cuillère à soupe de fécule de maïs (ou 1½ cuillère à soupe de farine tout usage)
¼ tasse de noix de pécan hachées et grillées
16 gaufres congelées, grillées

1 Préchauffer le four à 325°F.

2 Dans un faitout légèrement huilé, mélanger les poires, l'ananas, les cerises, les abricots, la cassonade et la fécule de maïs (ou la farine, le cas échéant). Couvrir, placer dans le four chauffé et faire cuire pendant 1½ à 2 heures.

3 Dans une petite poêle à feu moyen, faites griller les noix de pécan à sec jusqu'à ce qu'elles soient brunes, pendant 1 à 2 minutes.

4 Versez le mélange de fruits chaud sur les gaufres fraîchement grillées, saupoudrez de noix de pécan et servez.

CONSEIL D'INGREDIENT : *Pour des noix de pécan plus croustillantes, faites-les frire légèrement dans un peu d'huile d'olive extra-vierge (ou votre substitut préféré) jusqu'à ce qu'elles soient brun clair, ou si vos brûleurs sont tous pris, préchauffez le four à 350°F, et faites-les cuire pendant 5 à 10 minutes, en les retournant une ou deux fois.*

PAIN DE MAÏS SUCRÉ AUX RAISINS SECS

POUR 8 PERSONNES TEMPS DE PRÉPARATION : 15 MINUTES TEMPS DE CUISSON : 1 HEURE

Que serait un livre de cuisine au four hollandais sans une recette de pain de maïs ? Une tradition vieille de trois cents ans - aussi longue que la marmite en fonte elle-même - le pain de maïs était le parfait aliment portable et nutritif pour les premiers colons européens d'Amérique du Nord. Cette variation sucrée revendique sa place au centre de la table américaine moderne.

1½ tasse de farine
½ tasse de sucre
1 cuillère à café de cannelle
¼ cuillère à café de noix de muscade
1 cuillère à soupe de levure chimique
¼ cuillère à café de sel
2 cuillères à soupe d'huile d'olive extra-vierge
2 tasses de lait
½ tasse de farine de maïs
2 œufs
2 cuillères à soupe d'huile de canola
½ tasse de rais raisins secs

1 Préchauffer le four à 350°F.

2 Dans un bol moyen, mélanger la farine, le sucre, la cannelle, la noix de muscade, la levure et le sel.

3 Enduisez légèrement un four hollandais d'huile d'olive et faites chauffer le lait à feu moyen-élevé jusqu'à ce qu'il commence à bouillir. Ajouter la semoule de maïs et réduire le feu pour faire mijoter. Remuez pendant environ 10 minutes, ou jusqu'à ce que le mélange soit épais.

4 Dans un petit bol, battre les œufs et l'huile de canola, et incorporer le mélange à la semoule de maïs.

5 Incorporer le mélange de farine et de sucre à la semoule de maïs, puis incorporer les raisins secs.

6 Couvrez, placez dans le four chauffé et faites cuire pendant 40 à 60 minutes, ou jusqu'à ce qu'un cure-dent en ressorte propre.

CONSEIL NUTRITIONNEL : *Une portion de pain de maïs d'une once contient 1,8 gramme de fibres, qui aident non seulement à réguler les selles, mais aussi à absorber le cholestérol et à réduire la glycémie. Et comme les fibres ne sont pas digérées mais passent simplement dans le tube digestif, elles rassasient sans apporter de calories.*

SOUPES, RAGOÛTS ET CHILIS

SOUPE À LA COURGE BUTTERNUT

POUR 6 À 8 PERSONNES TEMPS DE PRÉPARATION : 20 MINUTES TEMPS DE CUISSON : 1½ HEURE

L'avantage de la cuisson de la soupe dans un four hollandais, c'est que la marmite fait office de beau plat de service. Il suffit de transférer le four hollandais de la cuisinière à la table, et de le placer sur un dessous de plat ou un torchon plié.

4 cuillères à soupe de beurre
1 oignon haché
2 tasses de carottes hachées
4 tasses de courge butternut hachée
1 tasse de patate douce pelée et hachée
4 tasses de bouillon de poulet ou de bouillon
1 tasse de crème épaisse
3 cuillères à soupe de sirop d'érable
Sel de mer
Poivre noir fraîchement moulu

1 Dans un four hollandais, faire fondre le beurre à feu moyen-élevé et ajouter l'oignon, les carottes, la courge et la patate douce. Faire cuire pendant 15 minutes. Ajouter le bouillon et porter à ébullition. Réduire le feu, couvrir et laisser mijoter pendant 20 à 30 minutes, ou jusqu'à ce que les légumes soient tendres.

2 Retirez la marmite du feu et laissez-la refroidir légèrement. À l'aide d'un mélangeur à immersion (ou par lots dans un mélangeur traditionnel), réduisez la soupe en purée jusqu'à ce qu'elle soit lisse.

3 Réchauffer la soupe à feu doux. Incorporer la crème et le sirop d'érable, puis assaisonner de sel marin et de poivre.

CONSEIL DE CUISINE : *Si vous préférez une texture plus grumeleuse, ne réduisez que la moitié de la soupe en purée.*

BISQUE DE PATATES DOUCES

POUR 6 À 8 PERSONNES ▪ TEMPS DE PRÉPARATION : 20 MINUTES ▪ TEMPS DE CUISSON : 40 MINUTES

En ajoutant des croûtons, du gruyère râpé et une salade d'accompagnement, cette soupe délicieuse et nutritive constitue un repas végétarien parfait. Non seulement les patates douces sont facilement disponibles, peu coûteuses et très polyvalentes, mais elles regorgent de fer, de potassium, de magnésium et de vitamines B6, C et D !

2 cuillères à soupe d'huile d'olive extra-vierge
3 ou 4 oignons, hachés
4 branches de céleri, finement hachées
6 gousses d'ail, finement hachées
5 patates douces, épluchées et coupées en dés
10 tasses de bouillon de légumes ou de bouillon
Sel
Poivre noir fraîchement moulu
2 tasses de moitié-moitié

1 Faites chauffer l'huile d'olive dans un faitout à feu moyen. Faites sauter les oignons et le céleri pendant environ 5 minutes, ou jusqu'à ce que les oignons soient opaques. Ajoutez l'ail et remuez bien.

2 Lorsque l'ail devient odorant, ajoutez les patates douces et le bouillon. Laissez mijoter, partiellement couvert, pendant environ 20 minutes, ou jusqu'à ce que les patates soient tendres.

3 Retirer le faitout du feu et laisser le mélange refroidir légèrement. Réduire en purée à l'aide d'un mixeur à immersion (ou par lots dans un mixeur traditionnel) jusqu'à obtenir une consistance lisse.

4 Assaisonnez avec le sel et le poivre, incorporez le demi-mélange et réchauffez à feu doux.

CONSEIL NUTRITIONNEL : *Pour donner un coup de fouet épicé - qui facilitera également la digestion et aidera à combattre les rhumes - ajoutez du gingembre. Râpez quelques racines de gingembre frais pelées (environ 4 cuillères à café) et ajoutez-les au bouillon ou au fond. Vous pouvez aussi utiliser la même quantité de pâte de gingembre, que vous trouverez dans le rayon asiatique de la plupart des supermarchés.*

CHAUDRÉE DE CREVETTES ET DE MAÏS

POUR 4 À 6 PERSONNES TEMPS DE PRÉPARATION : 10 MINUTES TEMPS DE CUISSON : 30 MINUTES

Impressionnez vos invités avec cette chaudrée gourmande qui est incroyablement simple et rapide à préparer. Combinant des crevettes, des pommes de terre et du maïs dans un bouillon crémeux, elle constitue un bol riche et satisfaisant, réconfortant et nutritif à souhait.

2 cuillères à soupe de beurre
½ oignon Vidalia, coupé en dés
4 pommes de terre Yukon Gold (environ 2 livres), coupées en morceaux
2 sacs (16 oz) de maïs sucré congelé, décongelé
3 tasses de lait entier
1 tasse de moitié-moitié
1½ livre de crevettes moyennes, décortiquées et déveinées
Sel
Poivre noir fraîchement moulu

1 Dans un faitout à feu moyen-élevé, faire fondre le beurre. Ajouter l'oignon, et laisser suer pendant 2 minutes.

2 Ajouter les pommes de terre et poursuivre la cuisson pendant 3 à 4 minutes, en remuant fréquemment.

3 Ajoutez le maïs, le lait et la moitié de la moitié du lait, et laissez mijoter pendant 20 minutes, ou jusqu'à ce que les pommes de terre soient tendres.

4 Ajouter les crevettes dans la marmite, et remuer. Faites cuire jusqu'à ce que les crevettes deviennent roses, pendant 3 à 5 minutes.

5 Assaisonnez de sel et de poivre. Servir.

CONSEIL NUTRITIONNEL : *Les crevettes sont une excellente source de protéines maigres. Chaque portion de 6 onces fournit 39 grammes de protéines pour seulement 202 calories. Elles sont également riches en vitamines, minéraux et acides aminés, et heureusement pauvres en mercure.*

SOUPE AU POULET ET AUX NOUILLES

POUR 8 PERSONNES TEMPS DE PRÉPARATION : 20 MINUTES TEMPS DE CUISSON : 1½ À 2 HEURES

La science a prouvé ce que les mamans savent depuis longtemps : Un bol de soupe au poulet n'est pas seulement bon pour l'âme, mais aussi pour renforcer le système immunitaire. Les propriétés anti-inflammatoires aident à atténuer les symptômes du rhume, tandis que les électrolytes supplémentaires vous aident à rester hydraté, la clé d'un rétablissement rapide.

1 quart de bouillon de poulet ou de fond
3 tasses d'eau
2½ tasses de poulet cuit haché
3 carottes, tranchées
3 branches de céleri, tranchées
1½ tasse de champignons tranchés
¼ tasse d'oignon haché
1½ cuillère à café de thym séché, écrasé
2 gousses d'ail, écrasées
Sel
Poivre noir fraîchement moulu
2 tasses de nouilles aux œufs séchées

1 Préchauffer le four à 350°F.

2 Dans un four hollandais, mélanger le bouillon, l'eau, le poulet, les carottes, le céleri, les champignons, l'oignon, le thym et l'ail, puis saler et poivrer.

3 Couvrez, placez dans le four chauffé et faites cuire pendant 1½ à 2 heures.

4 Incorporer les nouilles non cuites.

5 Couvrez et faites cuire pendant 10 à 15 minutes, ou jusqu'à ce que les nouilles soient tendres.

CONSEIL DE CUISINE : *Pour augmenter les bienfaits de cette soupe nourrissante, ajoutez plus de légumes. Un paquet de légumes mixtes surgelés constitue un ajout facile, rapide et riche en vitamines.*

SOUPE AUX POMMES DE TERRE, POIREAUX ET HARICOTS GARBANZOÏDES

POUR 6 À 8 PERSONNES TEMPS DE PRÉPARATION : 20 MINUTES TEMPS DE CUISSON : 30 MINUTES

Cette délicieuse soupe a un fort pouvoir nutritionnel. Elle est non seulement riche en vitamines et minéraux, mais aussi en antioxydants, grâce à l'ajout de haricots garbanzo riches en fibres.

3 cuillères à soupe de beurre
3 cuillères à soupe d'huile d'olive extra-vierge
5 à 6 poireaux, nettoyés et hachés
3 gousses d'ail, hachées
3 à 4 pommes de terre, coupées en cubes
2 boîtes de haricots azymes de 15 onces, égouttés
3 tasses de bouillon de poulet ou de bouillon
1 tasse de fromage parmesan fraîchement râpé
Sel marin
Poivre noir fraîchement moulu

1 Dans un four hollandais à feu moyen, faire fondre le beurre et l'huile d'olive. Ajouter les poireaux et l'ail. Faire cuire pendant 10 minutes, ou jusqu'à ce que les poireaux soient translucides.

2 Ajouter les pommes de terre et les haricots garbanzo, et faire cuire pendant 2 à 3 minutes.

3 Ajouter le bouillon et porter à ébullition. Réduire le feu et laisser mijoter pendant 20 minutes.

4 Incorporer le fromage et assaisonner de sel et de poivre.

CONSEIL DE CUISINE : *Gardez une partie des poireaux et utilisez-les comme garniture. Saupoudrez-les d'un peu de parmesan supplémentaire et arrosez-les d'un filet d'huile d'olive.*

RAGOÛT DE BŒUF COPIEUX

POUR 6 À 8 PERSONNES ▪ TEMPS DE PRÉPARATION : 20 MINUTES ▪ TEMPS DE CUISSON : 4 HEURES

Ce ragoût de bœuf est un excellent repas à préparer à l'avance qui est encore meilleur le lendemain. Faites-en une double fournée que vous congèlerez pour les soirées d'automne froides qui exigent un repas chaud et nourrissant.

2½ livres de viande à ragoût de bœuf, coupée en morceaux de 1½ pouce
Sel
Poivre noir fraîchement moulu
2 cuillères à soupe d'huile d'olive extra-vierge
3 oignons hachés
1 tasse de céleri haché
4 tasses de bouillon de boeuf ou de bouillon
½ cuillère à café de thym séché
½ cuillère à café de romarin séché
3 à 4 pommes de terre (environ 2 livres), pelées et coupées en quatre
4 carottes, pelées et coupées en tranches de 2 pouces
2 tasses de petits pois surgelés

1 Préchauffer le four à 375°F.

2 Assaisonner le bœuf de sel et de poivre. Faites chauffer l'huile d'olive dans un four hollandais à feu moyen-élevé. Ajoutez le bœuf et faites-le cuire, en remuant au besoin, jusqu'à ce qu'il soit bruni de tous les côtés. Transférer le bœuf cuit dans une assiette.

3 Jeter l'excédent d'huile de la marmite et remettre à feu moyen-élevé. Ajoutez les oignons et le céleri et faites-les cuire jusqu'à ce qu'ils soient tendres, soit pendant environ 3 minutes. Incorporer le bouillon, le thym et le romarin. Remettez la viande dans la marmite et ajoutez les pommes de terre et les carottes.

4 Couvrez, placez dans le four chauffé et faites cuire pendant 3 heures.

5 Incorporez les petits pois et faites cuire pendant 1 heure.

6 Assaisonnez avec du sel et du poivre.

CONSEIL DES INGRÉDIENTS : *Pour un antioxydant supplémentaire - sans parler d'un regain de saveur - ajoutez ¼ de tasse de vin rouge juste avant d'ajouter le bouillon ou le fond. Bonus : le vin aide également à conserver les restes !*

RAGOÛT DE BŒUF ET DE LÉGUMES RACINES

POUR 6 À 8 PERSONNES TEMPS DE PRÉPARATION : 40 MINUTES TEMPS DE CUISSON : 2 HEURES

Ce repas en une seule fois est l'antidote parfait au temps maussade de l'hiver, ajoutant un irrésistible parfum de "bienvenue à la maison" à votre cuisine. N'hésitez pas à remplacer d'autres légumes, comme les champignons ou les haricots verts, selon ce que vous avez dans votre garde-manger.

3 cuillères à soupe d'huile d'olive extra-vierge
3 livres de bœuf maigre (paleron ou ronde), coupé en cubes de ½ pouce
5 poireaux, hachés
¼ tasse de farine tout usage
3 carottes, coupées en morceaux d'un pouce de long
1 panais, pelé et haché
1 navet blanc, pelé et haché
½ céleri-rave (celeriac), pelé et coupé en petits cubes
1 feuille de laurier
2 grosses gousses d'ail, coupées en fines lamelles
1 cuillère à soupe de feuilles de thym frais grossièrement hachées
2½ tasses de bouillon de boeuf ou de bouillon à faible teneur en sodium
Sel
Poivre noir fraîchement moulu
5 pommes de terre (environ 2 livres), pelées et coupées en quatre
1 boîte de 28 onces de tomates broyées

1 Préchauffer le four à 350°F.

2 Faire chauffer l'huile d'olive dans un four hollandais à feu moyen-élevé. Commencez à ajouter le bœuf, quelques morceaux à la fois. Faites-le dorer d'un côté, puis retournez-le à l'aide d'une paire de pinces. Transférer le bœuf bruni dans un bol, et répéter l'opération jusqu'à ce que tout le bœuf soit bruni.

3 Versez toute la graisse de la casserole, sauf une cuillère à soupe, puis ajoutez les poireaux (voir l'astuce ci-dessous pour savoir comment nettoyer les poireaux) et faites-les sauter à feu moyen, en remuant fréquemment, jusqu'à ce qu'ils ramollissent.

4 Mélangez la farine avec le bœuf bruni, puis ajoutez la viande farinée dans la marmite. Ajoutez les carottes, le panais, le navet, le céleri rave, la feuille de laurier, l'ail, le thym et le bouillon. Assaisonnez de sel et de poivre. Remuer à nouveau et porter à ébullition à feu moyen-élevé.

5 Couvrez, placez dans le four préchauffé et faites cuire pendant 15 minutes.

6 Réduisez la température du four à 300°F, et faites cuire pendant 1½ heure.

7 découvrez la casserole et ajoutez les pommes de terre et les tomates. Couvrez et faites cuire pendant 25 minutes, ou jusqu'à ce que les pommes de terre soient tendres. Retirez la feuille de laurier avant de servir.

CONSEIL D'INGREDIENT : *Pour nettoyer un poireau, coupez les racines et coupez le poireau en deux dans le sens de la longueur. Faites des coupes transversales le long de la partie du poireau que vous avez l'intention d'utiliser - les derniers centimètres des extrémités vert foncé peuvent être simplement jetés ou conservés pour le bouillon. Placez le poireau haché dans un bol et remplissez-le d'eau froide. Utilisez vos mains pour agiter et déloger les saletés qui s'accrochent au poireau.*

SOUPE CRÉMEUSE À LA BETTERAVE

POUR 6 PERSONNES TEMPS DE PRÉPARATION : 15 MINUTES TEMPS DE CUISSON : 40 MINUTES

Les betteraves sont synonymes de salades d'été, mais elles peuvent être bien plus que cela. Cette racine sous-estimée constitue la base de ce plat d'automne terreux qui réchauffe le cœur, grâce à son goût sucré et à sa texture douce et soyeuse.

2 cuillères à soupe d'huile d'olive extra-vierge
2 tasses d'oignon blanc haché
2 carottes pelées et coupées en morceaux
3½ tasses de betteraves pelées et coupées en dés
4 tasses de bouillon de poulet ou de bouillon à faible teneur en sodium
4 cuillères à soupe de crème épaisse
2 cuillères à café de jus de citron
Sel marin
Poivre noir fraîchement moulu
1 cuillère à soupe de pesto, pour la garniture

1 Dans un four hollandais, faire chauffer l'huile d'olive à feu moyen. Ajouter l'oignon et les carottes, et faire cuire pendant 4 à 5 minutes, ou jusqu'à ce qu'ils soient ramollis. Ajouter les betteraves et cuire pendant 6 minutes, ou jusqu'à ce que l'oignon commence à brunir.

2 Ajouter le bouillon et porter à une légère ébullition. Réduire le feu à moyen-doux et laisser mijoter pendant 20 minutes, ou jusqu'à ce que les betteraves soient tendres.

3 Transférer dans un mélangeur ou un robot culinaire, et mélanger jusqu'à ce que la soupe soit lisse, en travaillant par lots si nécessaire. Transférer la soupe dans le four hollandais et remettre à feu moyen.

4 Ajoutez la crème et le jus de citron, et assaisonnez de sel et de poivre.

5 Répartir la soupe dans des bols de service. Garnir chaque portion d'une petite cuillerée de pesto.

CONSEIL D'INGREDIENT : *Les betteraves sont disponibles toute l'année, mais l'hiver est la meilleure période pour les petites betteraves, qui sont plus sucrées que les mûres. Lors de l'achat, choisissez toujours des betteraves petites ou moyennes, qui sont plus tendres que les grosses. Vérifiez qu'elles sont lourdes pour leur taille, que leurs racines sont lisses et fermes, et qu'elles ne présentent pas d'entailles ou de coupures. Si les feuilles vertes sont encore attachées, elles doivent être de couleur vive et avoir un aspect frais.*

SOUPE DE CAROTTES RÉFRIGÉRÉE

POUR 4 À 6 PERSONNES TEMPS DE PRÉPARATION : 10 MINUTES TEMPS DE CUISSON : 30 MINUTES

Une soupe fraîche constitue un déjeuner léger et rafraîchissant par une chaude journée d'été. Mais la vraie beauté de ce plat est qu'il s'adapte à toutes les saisons. Modifiez la recette en la servant bien chaude pendant le gel hivernal.

1 livre de carottes, pelées et coupées en dés
½ tasse d'huile d'olive extra vierge, divisée, plus pour la garniture
1 échalote, coupée en petits dés
1 gousse d'ail, coupée en petits dés
1 cuillère à soupe de vinaigre de cidre
Zeste et jus d'une orange
1 cuillère à soupe de gingembre frais râpé
½ tasse d'eau froide
Sel
Poivre noir fraîchement moulu
½ tasse de yogourt nature, pour la garniture
2 cuillères à soupe d'estragon frais haché grossièrement, pour la garniture

1 Dans un faitout à feu moyen-élevé, porter de l'eau salée à ébullition. Ajouter les carottes et blanchir jusqu'à ce qu'elles soient tendres, environ 5 minutes. Retirer les carottes, les mettre de côté pour qu'elles refroidissent et vider le faitout.

2 Remettez le four hollandais sur la cuisinière, et faites chauffer 1 cuillère à soupe d'huile d'olive à feu moyen-élevé. Ajouter l'échalote et faire suer pendant 1 minute. Ajouter l'ail et le faire suer pendant 1 minute. Retirer le four hollandais du feu, et transférer les échalotes et l'ail dans un petit bol de préparation. Une fois que le four hollandais a refroidi, mettez-le au réfrigérateur ou au congélateur.

3 Placez les échalotes et l'ail dans un mixeur. Ajoutez les carottes, le vinaigre, le zeste et le jus d'orange, et le gingembre, et mixez jusqu'à obtenir une consistance lisse. Ajoutez l'eau froide et mixez jusqu'à ce que la soupe ait une consistance lisse. Réduisez la vitesse à son niveau le plus bas et ajoutez les 7 cuillères à soupe d'huile d'olive restantes en filet. Assaisonnez de sel et de poivre.

4 Remettez la soupe dans le four hollandais refroidi. Garnissez avec le yaourt, un filet d'huile d'olive et l'estragon.

CONSEIL NUTRITION : *Les carottes aident-elles vraiment à mieux voir dans l'obscurité ? Oui ! Les carottes sont riches en bêta-carotène, qui est converti en vitamine A dans le foie. De là, la vitamine A est transformée en rhodopsine - un pigment violet nécessaire à la vision nocturne - dans la rétine.*

RAGOÛT DE BŒUF FRANÇAIS

POUR 6 À 8 PERSONNES TEMPS DE PRÉPARATION : 1½ HEURES TEMPS DE CUISSON : 2 HEURES

L'ail rôti donne une profondeur exquise à ce ragoût réconfortant, tandis que les saveurs gauloises et le vin rouge complètent la symphonie robuste des arômes. Vous pouvez le préparer à l'avance et le réchauffer au four - après tout, les ragoûts sont souvent encore meilleurs le lendemain.

1 tête d'ail, peau papillaire enlevée et chaque gousse coupée en deux
2 cuillères à soupe d'huile d'olive extra vierge, plus 2 cuillères à café, divisées.
1,5 kg de rôti de paleron, paré et coupé en cubes de 2 po.
Sel
Poivre noir fraîchement moulu
1 tasse de vin rouge
2 cuillères à soupe d'échalotes émincées
1 tasse de carottes pelées et coupées en tranches
1 tasse de panais pelés et coupés en tranches
5 onces de champignons tranchés
1 tasse de bouillon de boeuf ou de bouillon à faible teneur en sodium
1½ cuillère à soupe de pâte de tomate
Zeste d'une demi-orange
1 cuillère à soupe d'herbes de Provence
1 feuille de laurier
1 boîte de 28 onces de tomates en dés.

1 Préchauffez le four à 300°F.

2 Disposez l'ail dans un four hollandais, et arrosez-le de 2 cuillères à soupe d'huile d'olive. Couvrez et placez dans le four préchauffé pendant environ une heure, jusqu'à ce que les gousses commencent à sortir de leur peau. Transférez l'ail dans une petite assiette pour le laisser refroidir.

3 Une fois légèrement refroidis, pressez les clous de girofle dans un bol peu profond, et écrasez-les avec une fourchette lourde.

4 Placez le four hollandais sur la cuisinière, et ajoutez les 2 cuillères à café d'huile d'olive restantes. Chauffez à feu moyen-élevé jusqu'à ce que l'huile soit chaude mais non fumante. Ajoutez les cubes de bœuf par lots, en les remuant jusqu'à ce qu'ils soient uniformément dorés de tous les côtés. Assaisonnez chaque lot de sel et de poivre, puis transférez-les dans un petit plat.

5 Ajouter le vin dans la marmite et porter à ébullition, en raclant le fond de la marmite avec une cuillère en bois pour détacher les morceaux brunis. Incorporer la viande, l'ail, les échalotes, les carottes, les panais, les champignons, le bouillon, le concentré de tomates, le zeste d'orange, les herbes de Provence, le laurier et les tomates. Portez à ébullition, remuez et couvrez la marmite. Placez dans le four préchauffé.

6 Faites cuire au four pendant environ 2½ heures, ou jusqu'à ce que la viande soit tendre. Retirez la feuille de laurier avant de servir.

RAGOÛT DE PORC À LA TOSCANE

POUR 6 À 8 PERSONNES TEMPS DE PRÉPARATION : 20 MINUTES TEMPS DE CUISSON : 1 HEURE

Ce ragoût est inspiré de la ribollita, un copieux potage originaire de Toscane. Le mot "*ribollita*" signifie "bouillie", ce qui indique qu'il s'agit à l'origine d'un plat paysan préparé en faisant bouillir les restes de la veille. Au fil des ans, elle est devenue un plat mondial très apprécié des gourmets.

¾ tasse de bacon haché
3 cuillères à soupe d'huile d'olive extra-vierge, divisées
2 oignons jaunes, pelés et coupés en dés
½ livre de saucisses italiennes chaudes, retirées du boyau
7 carottes, pelées et hachées
¼ cuillère à café de flocons de poivre rouge
Poivre noir fraîchement moulu
1 cuillère à soupe de pâte de tomate
7 gousses d'ail, pelées et hachées
1 boîte de 28 oz de tomates en dés, non égouttées
4 tasses de bouillon de poulet ou de bouillon
1 boîte de haricots blancs cannellini (16 oz), égouttés et rincés
Sel

1 Dans un faitout à feu moyen-doux, faites cuire le bacon dans 1 cuillère à soupe d'huile d'olive pendant 5 à 6 minutes, en remuant de temps en temps, jusqu'à ce que la majeure partie de la graisse soit fondue et que le bacon commence à être croustillant.

2 Ajoutez les oignons et faites-les cuire pendant 6 à 7 minutes, ou jusqu'à ce qu'ils deviennent tendres et translucides.

3 Ajouter la saucisse, les carottes et les flocons de piment rouge. Assaisonner de poivre noir et poursuivre la cuisson pendant 10 minutes, en brisant la saucisse en petits morceaux avec le dos d'une cuillère en bois.

4 Ajouter les 2 cuillères à soupe d'huile d'olive restantes, incorporer la pâte de tomate et l'ail, et faire cuire pendant 3 minutes. Incorporer les tomates en dés, le bouillon et les haricots. Assaisonnez avec du sel.

5 Augmentez le feu à haute intensité jusqu'à ce que la soupe commence à mijoter. Réduisez le feu à faible intensité et laissez mijoter pendant 30 minutes.

CONSEIL DE CUISINE : *En Italie, ce ragoût est traditionnellement servi avec des crostini, soit ajoutés à la soupe environ 5 minutes avant de servir (la façon classique), soit placés dans chaque bol juste avant de servir, soit servis sur le côté. Les crostinis sont faciles à préparer à la maison : Tranchez une baguette, assaisonnez-la de sel, de poivre et d'un filet d'huile d'olive, et faites-la griller.*

CHILI À LA DINDE, AUX HARICOTS ET AU MAÏS

POUR 6 À 8 PERSONNES ▪ TEMPS DE PRÉPARATION : 15 MINUTES ▪ TEMPS DE CUISSON : 1 À 1½ HEURE

Une soupe chaude et copieuse, pleine de protéines et de saveurs. C'est un excellent réchauffeur d'hiver pour une foule. Ce chili se conserve bien ; servez et réchauffez des portions individuelles au besoin.

1 cuillère à soupe d'huile végétale
2 bandes de bacon, coupées en dés
1 oignon haché
1 poivron rouge, coupé en dés
3 gousses d'ail, hachées
1½ livre de dinde hachée
¼ tasse de poudre de chili
2 cuillères à café de cumin moulu
2 cuillères à café d'origan séché
Sel
Poivre noir fraîchement moulu
1 boîte de 15 onces de tomates broyées
1 ½ tasse de bouillon de poulet ou de légumes à faible teneur en sodium
1 boîte de haricots pinto (15 onces), égouttés et rincés
1 boîte de maïs doux (15 onces)

1 À feu moyen, dans un faitout, faites chauffer l'huile végétale. Ajoutez le bacon et faites-le cuire jusqu'à ce que la graisse soit fondue et que le bacon commence à être croustillant.

2 Ajouter l'oignon et le poivron rouge. Faites sauter, en remuant souvent, jusqu'à ce que les légumes soient ramollis. Ajouter l'ail et remuer pendant environ 2 minutes, ou jusqu'à ce que la saveur soit libérée.

3 Ajouter la dinde hachée et remuer jusqu'à ce qu'elle ne soit plus rose, en brisant délicatement la viande avec le dos d'une cuillère. Incorporer la poudre de chili, le cumin et l'origan. Assaisonner de sel et de poivre. Incorporer les tomates, puis le bouillon. Portez le mélange à ébullition, puis réduisez le feu pour laisser mijoter.

4 Laissez mijoter, à découvert, pendant 45 minutes à 1 heure, en remuant de temps en temps.

5 Incorporez délicatement les haricots pinto et le maïs, et laissez mijoter pendant 15 minutes.

CONSEIL DE CUISINE : *Vous pouvez donner à ce plat un aspect et un goût uniques chaque fois que vous le servez en ajoutant des garnitures variées. Parmi les garnitures possibles, citons le bacon extra-croustillant, la coriandre hachée, le cheddar râpé, la crème sure, les oignons verts hachés, les olives en dés, le guacamole et les tortillas écrasées.*

RAGOÛT D'AGNEAU ESPAGNOL

POUR 6 À 8 PERSONNES TEMPS DE PRÉPARATION : 30 MINUTES TEMPS DE CUISSON : 1½ À 2 HEURES

Utiliser des morceaux de viande bon marché est un excellent moyen d'optimiser votre budget. Grâce à la cuisson lente du four hollandais, vous n'avez pas à faire de compromis sur la saveur. Ici, un morceau de viande autrement coriace est mijoté pendant près de deux heures, ce qui attendrit la viande et permet aux riches saveurs espagnoles d'imprégner l'agneau.

2 cuillères à soupe d'huile d'olive extra-vierge
2 livres de viande d'agneau à ragoût, provenant de l'épaule ou du gigot, coupée en morceaux de 1 pouce
1 oignon jaune, émincé
Sel
Poivre noir fraîchement moulu
2 cuillères à soupe de farine tout usage
3 gousses d'ail, émincées
1½ tasse de tomates en dés (fraîches ou en conserve)
1 feuille de laurier
4 tasses d'eau
2 livres de haricots frais (haricots cannellini, haricots canneberges, pois à œil noir ou haricots garbanzo), écossés
½ livre de chorizo, tranché

1 Dans un four hollandais, faire chauffer l'huile d'olive à feu moyen-élevé. Ajouter l'agneau et l'oignon, et assaisonner de sel et de poivre. Faire cuire, en remuant de temps en temps, jusqu'à ce que l'agneau soit doré de tous les côtés, pendant 8 à 10 minutes. Saupoudrer la farine dans la marmite et remuer. Faire cuire pendant 2 minutes.

2 Ajouter l'ail, les tomates, la feuille de laurier et l'eau. Portez à ébullition à feu vif. Réduisez à feu doux et laissez mijoter pendant 1 heure.

3 Ajoutez les haricots et le chorizo, et laissez mijoter pendant 40 minutes. Retirez la feuille de laurier avant de servir.

CONSEIL DE CUISINE : *Pour donner une nouvelle dimension à ce ragoût, arrosez-le d'un filet d'huile d'olive infusée d'épices avant de le servir. Faites chauffer 3 cuillères à soupe d'huile d'olive extra-vierge dans une poêle, puis ajoutez 1½ cuillère à café de paprika et 2 gousses d'ail coupées en tranches. Versez l'huile infusée sur le plat, remuez doucement, et laissez mijoter pendant 30 secondes. Transférez la casserole sur la table et servez.*

RAGOÛT DE POULET ET DE LÉGUMES

POUR 4 À 6 PERSONNES ▪ TEMPS DE PRÉPARATION : 20 MINUTES ▪ TEMPS DE CUISSON : 30 MINUTES

Apportez une touche chaleureuse à votre repas du milieu de semaine avec cette merveille à faible teneur en matières grasses, préparée en une seule fois. Servez-la avec du riz ou des morceaux de pain pour un souper satisfaisant.

2 cuillères à soupe d'huile d'olive extra-vierge
3 poitrines de poulet désossées
Sel
Poivre noir fraîchement moulu
Farine, pour saupoudrer
1 cuillère à soupe de beurre non salé
2 cuillères à soupe de farine tout usage
1 oignon jaune, haché
2 branches de céleri, hachées
4 tasses de bouillon de poulet ou de bouillon
4 tomates Roma, coupées en morceaux
1 cuillère à café de cumin
2 tasses de maïs en grains (frais, en conserve ou congelé)
2 tasses de petits pois congelés
½ tasse d'oignons verts finement tranchés, pour la garniture
¼ tasse de feuilles de basilic frais grossièrement hachées, pour la garniture

1 Dans un four hollandais, à feu moyen-élevé, faire chauffer l'huile d'olive jusqu'à ce qu'elle soit chaude mais non fumante.

2 Saler et poivrer le poulet, puis le saupoudrer de farine. Faites revenir le poulet dans l'huile d'olive. À l'aide d'une cuillère à trous, transférez le poulet dans une assiette.

3 Réduisez le feu à moyen-doux, et ajoutez le beurre et la farine dans la casserole. Faire cuire, en remuant constamment, jusqu'à ce que le mélange prenne une riche couleur brune (cela se produira très rapidement, alors soyez diligent !) Incorporer l'oignon et le céleri, et faire cuire jusqu'à ce que les deux soient ramollis.

4 Remettez le poulet dans la marmite. Ajoutez le bouillon, les tomates et le cumin, et laissez mijoter, à couvert, pendant 15 à 20 minutes, ou jusqu'à ce que le poulet soit bien cuit. Incorporez le maïs et les petits pois.

5 Transférez le poulet sur une planche à découper. À l'aide de deux fourchettes, déchiqueter le poulet en petits morceaux et le remettre dans le ragoût.

6 Garnissez avec les oignons verts et le basilic avant de servir.

CONSEIL NUTRITIONNEL : *Pour augmenter les bienfaits nutritionnels de ce ragoût sain, remplacez les légumes surgelés ou en conserve par des légumes frais. Environ 4 épis de maïs frais donnent 2 tasses.*

CHILI DE BŒUF FUMÉ

POUR 8 À 10 PERSONNES TEMPS DE PRÉPARATION : 20 MINUTES TEMPS DE CUISSON : 1½ À 2 HEURES

La combinaison de deux viandes différentes, en dés et hachées, ajoute une texture vraiment intéressante à ce chili. Et la cuisson lente des oignons, des poivrons et des tomates jusqu'à ce qu'ils prennent la consistance d'une confiture donne une belle profondeur de saveur, tout comme l'ajout de bière.

2 à 3 cuillères à soupe d'huile d'olive extra-vierge
1½ lb de tri-tip ou de poitrine de bœuf, coupée en dés
1½ livre de bœuf haché
3 tasses d'oignons en dés
4 gousses d'ail, hachées
2 piments jalapeños, coupés en dés
1 pot (8 oz) de poivrons rouges rôtis, égouttés et coupés en dés
½ tasse de pâte de tomate
1 cuillère à soupe de paprika
2 cuillères à café de cumin
2 cuillères à café de poudre de chili
1 boîte de 28 oz de tomates broyées
1 boîte de 12 onces de bière blonde ou stout
4 tasses de bouillon de bœuf
2 cuillères à soupe de sucre brun
1 boîte de haricots rouges (15 oz)
Sel
Poivre noir fraîchement moulu
¼ tasse de crème sure ou de crème fraîche, pour la garniture
¼ tasse d'oignons verts tranchés, pour la garniture
¼ tasse de fromage cheddar râpé, pour garnir

1 Dans un four hollandais à feu moyen, faire chauffer l'huile d'olive. Faites revenir le bœuf en dés et le bœuf haché en petites quantités, en déposant chaque lot sur un grand plateau une fois qu'ils sont dorés. Égoutter l'excès de graisse de la marmite, en réservant 1 cuillère à soupe.

2 Ajoutez les oignons et l'ail dans la marmite et faites-les cuire à feu moyen-doux jusqu'à ce qu'ils soient légèrement translucides. Ajoutez les piments jalapeños et les poivrons rouges, et continuez à faire cuire lentement jusqu'à ce que le mélange ait la consistance d'une confiture.

3 Ajouter la pâte de tomate et faire cuire pendant 2 à 3 minutes. Ajouter le paprika, le cumin et la poudre de chili, et remuer jusqu'à ce que le tout soit parfumé.

4 Incorporer les tomates concassées. Ajouter la bière, le bouillon, la cassonade et les haricots, puis saler et poivrer. Remettez la viande brunie dans la marmite et portez à ébullition, puis réduisez le feu à un faible frémissement. Faites cuire à feu doux pendant 45 minutes à 1 heure.

5 Servez avec une cuillerée de crème aigre ou de crème fraîche, des oignons verts ou du fromage râpé.

CONSEIL DE CUISINE : *Pour améliorer la texture de ce chili, demandez à votre boucher de vous fournir de la viande fraîchement hachée. Si vous préférez que la consistance soit un peu plus épaisse, ajoutez 1 ou 2 cuillères à soupe de farine.*

POISSONS ET CRUSTACÉS

MOULES À LA VAPEUR AVEC DU LARD

POUR 4 À 6 PERSONNES TEMPS DE PRÉPARATION : 10 MINUTES TEMPS DE CUISSON : 15 MINUTES

Les moules ne sont pas seulement rapides à préparer, elles sont aussi peu coûteuses, facilement disponibles et délicieusement élégantes. Les moules sont vendues et cuisinées vivantes. Bien qu'elles puissent vivre hors de l'eau pendant quelques jours, elles doivent être conservées au frais.

2 à 3 cuillères à soupe d'huile d'olive extra-vierge, plus pour la garniture
½ tasse de bacon, coupé en dés
4 gousses d'ail, finement tranchées
1 oignon, haché
1 tasse de vin blanc sec
2 cuillères à café de paprika
2 douzaines de moules, nettoyées et sans barbe
Piment de Cayenne, pour la garniture
Une poignée d'origan frais haché, pour la garniture

1 Dans un faitout à feu moyen, faites chauffer l'huile d'olive et faites cuire le bacon. Lorsque la graisse du bacon commence à s'évaporer, pendant 2 minutes, ajoutez l'ail et l'oignon. Faites-les cuire, en remuant, jusqu'à ce qu'ils soient translucides.

2 Ajouter le vin et incorporer le paprika.

3 Ajoutez les moules. Augmentez le feu à haute intensité et faites cuire pendant environ 30 secondes, ou jusqu'à ce que l'alcool se soit évaporé.

4 Réduisez le feu à moyen-doux. Couvrez la casserole et faites cuire à la vapeur pendant 5 à 8 minutes, jusqu'à ce que toutes les moules soient ouvertes. Jetez les moules qui ne se sont pas ouvertes.

5 Garnissez d'un filet d'huile d'olive, d'une pincée de poivre de Cayenne et d'origan haché.

CONSEIL D'INGREDIENT : *Pour nettoyer les moules, les placer dans une passoire ou un bol dans l'évier et les passer sous l'eau froide. Les moules se fixent aux surfaces à l'aide de membranes fines et collantes appelées "barbes". La plupart des moules d'élevage sont déjà débarrassées de leur barbe, mais si vous trouvez une moule barrée, saisissez-la entre votre pouce et votre index et tirez-la fermement vers le bas, vers l'extrémité articulée de la coquille, jusqu'à ce qu'elle sorte. Jetez-la.*

PAELLA ESPAGNOLE

POUR 6 À 8 PERSONNES TEMPS DE PRÉPARATION : 20 MINUTES TEMPS DE CUISSON : 45 MINUTES

Comme tant d'autres recettes populaires, la paella était à l'origine un plat paysan préparé avec les ingrédients disponibles et cuit dans une marmite sur un feu ouvert, ce qui en fait un plat parfait pour un four hollandais. Cette version épurée de la fameuse recette espagnole en une seule fois est facile, rapide et un vrai délice.

2 à 3 cuillères à soupe d'huile d'olive extra-vierge
2 livres de cuisses de poulet, dépouillées, désossées et coupées en morceaux de 2 pouces
5½ tasses de bouillon de poulet ou de bouillon à faible teneur en sodium
½ livre de crevettes, décortiquées et dont la carapace est réservée
1½ livre de riz à paella, ou tout autre riz à grain moyen de style espagnol
¼ cuillère à café de safran
1 boîte de 15 onces de haricots cannellini, égouttés et rincés.
1 à 2 tomates (environ ¾ de livre), pelées, coupées en deux, épépinées et finement hachées.
1 cuillère à soupe de paprika fumé
1 douzaine de moules, nettoyées
Sel de mer

1 Dans un four hollandais à feu moyen, faites chauffer l'huile d'olive. Ajoutez les morceaux de poulet et faites-les sauter jusqu'à ce qu'ils soient dorés. À l'aide d'une cuillère à rainures, transférez le poulet sur un plateau. Videz la graisse de la marmite.

2 Remettez la marmite sur le feu, ajoutez le bouillon et portez à ébullition. Ajouter les carapaces de crevettes (en réservant les crevettes) et laisser mijoter pendant 15 à 20 minutes. Retirer les carapaces à l'aide d'une cuillère à trous et les jeter. Incorporer le riz et faire cuire à feu moyen pendant 10 minutes. Ajouter les morceaux de poulet, le safran, les haricots cannellini, la tomate et le paprika. Faites cuire à couvert pendant 10 minutes.

3 Ajouter les crevettes et les moules. Faites cuire, à couvert, pendant 5 minutes, ou jusqu'à ce que les moules s'ouvrent.

4 Assaisonnez avec du sel.

CONSEIL D'INGREDIENT : *Il existe deux façons simples de peler les tomates. La première consiste à couper la tomate en deux, à l'épépiner et à la râper sur les gros trous d'une râpe à fruits. L'autre méthode, de loin la plus facile, consiste à plonger la tomate dans l'eau bouillante et à s'émerveiller lorsque la peau se détache facilement.*

FLÉTAN GRILLÉ AU CITRON

POUR 4 À 6 PERSONNES ▪ TEMPS DE PRÉPARATION : 4½ HEURES ▪ TEMPS DE CUISSON : 15 MINUTES

Le flétan est apprécié pour sa douceur délicate, sa couleur blanche comme neige et sa chair ferme et feuilletée. Excellente source de protéines et de minéraux de haute qualité, il est pauvre en sodium, en graisses et en calories, et ne contient qu'un minimum d'os. Ce plat revigorant est un changement rafraîchissant par rapport aux aliments réconfortants de l'hiver.

6 filets de flétan
Le jus et le zeste d'un citron
1 cuillère à soupe de feuilles de thym frais, grossièrement hachées
1 cuillère à soupe de persil frais haché
6 cuillères à soupe d'huile d'olive extra vierge, divisée en deux parties
Sel
Poivre noir fraîchement moulu
1 bulbe de fenouil, coupé en tranches
½ cuillère à café de sel marin
1½ tasse de roquette
¼ tasse de feuilles d'estragon frais
¼ tasse de ciboulette, coupée en morceaux de ½ pouce
¼ tasse de feuilles de menthe fraîche
¼ tasse de feuilles de basilic frais
Salsa verde, pour la garniture

1 Assaisonnez les filets de flétan avec le zeste de citron, le thym et le persil. Couvrez et réfrigérez pendant au moins 4 heures.

2 Sortez le poisson du réfrigérateur 15 minutes avant la cuisson pour le porter à température ambiante. Badigeonnez-le de 2 cuillères à soupe d'huile d'olive, et assaisonnez-le de sel et de poivre.

3 Faites chauffer 1 cuillère à soupe d'huile d'olive dans un faitout à feu moyen, et ajoutez le poisson. Faites-le cuire pendant 2 à 3 minutes, jusqu'à ce qu'il soit joliment coloré du premier côté. Retournez le poisson et faites-le cuire quelques minutes, jusqu'à ce qu'il soit presque cuit, puis retirez la casserole du feu (le poisson va continuer à cuire).

4 Dans un grand bol, mélangez les tranches de fenouil avec le sel marin, les 3 cuillères à soupe d'huile d'olive restantes et 1 cuillère à soupe de jus de citron. Ajoutez la roquette, l'estragon, la ciboulette, la menthe et le basilic, mélangez, puis salez et poivrez. Disposez la salade sur un grand plat, placez le poisson dessus et garnissez chaque filet d'une cuillerée de salsa verde.

VIVANEAU AUX AGRUMES EN CROÛTE DE SEL

POUR 6 À 8 PERSONNES ▪ TEMPS DE PRÉPARATION : 15 MINUTES ▪ TEMPS DE CUISSON : 35 À 40 MINUTES

Le vivaneau rouge est un poisson blanc savoureux qui est en saison de juillet à septembre et qui est disponible congelé toute l'année. Les filets de vivaneau étant très fins, le fait de rôtir le poisson entier permet de ne pas gaspiller de viande. Si vous préférez ne pas acheter un poisson entier, vous pouvez faire cuire les filets au four.

2 livres de sel de mer
¾ de tasse d'eau
Vaporisateur de cuisson
1 grande orange, tranchée, divisée
1 grand citron en tranches, divisé
1 gros pamplemousse, tranché, divisé
1 vivaneau rouge entier (4 livres), nettoyé et écaillé

1 Préchauffer le four à 375°F.

2 Dans un grand bol, mélangez le sel et l'eau, et remuez jusqu'à obtenir une consistance pâteuse.

3 Enduisez un four hollandais d'un spray de cuisson, puis versez une couche d'un pouce d'épaisseur du mélange de sel dans le fond de la marmite. Déposez la moitié des tranches d'orange, de citron et de pamplemousse sur le sel. Placez le vivaneau rouge sur les tranches. Pressez le reste du sel sur le poisson pour former une croûte épaisse. Garnissez avec le reste des tranches de fruits.

4 Couvrez, placez dans le four chauffé et faites cuire pendant 35 à 40 minutes, ou jusqu'à ce que le poisson soit cuit et que le sel soit légèrement bruni.

CONSEIL DE CUISSON : *Le poisson cuit doit avoir une température interne de 145°F lorsqu'on le vérifie au centre de la partie la plus épaisse du poisson. Pour servir, craquer la croûte de sel avec le manche d'un couteau, écailler le poisson avec une fourchette de service et garnir avec les agrumes grillés.*

SAUMON FROTTÉ AUX ÉPICES

POUR 4 À 6 PERSONNES ▪ TEMPS DE PRÉPARATION : 10 MINUTES ▪ TEMPS DE CUISSON : 20 MINUTES

Pour compléter ce plat délectable, servez-le sur un lit de verdure (la laitue beurre est une option douce, ou le cresson donne un coup de pouce poivré). Arrosez les légumes verts de jus de citron et d'huile d'olive, et assaisonnez de sel et de poivre.

1 cuillère à café de sel kosher
1 cuillère à café de poudre de chili
1 cuillère à café de cumin
4 filets de saumon (6 onces), avec leur peau
1 cuillère à soupe d'huile d'olive extra-vierge

1 Préchauffer le four à 375°F.

2 Dans un petit bol, mélanger le sel, la poudre de chili et le cumin. Frottez les filets de saumon avec le mélange d'épices, en les enrobant uniformément.

3 Faites chauffer l'huile d'olive dans un faitout à feu moyen-élevé. Placez les filets de saumon dans la marmite, côté peau vers le haut. Cuire pendant 3 minutes, ou jusqu'à ce que le dessus soit uniformément bruni. Pour une cuisson à point, retournez-les et faites-les cuire pendant 3 minutes. Pour un saumon moyennement cuit ou bien cuit, couvrir, placer dans le four préchauffé et cuire pendant 5 à 10 minutes.

CONSEIL NUTRITION : *En termes de bienfaits pour la santé, il est difficile de battre le roi des saumons. Ce poisson délicieux et rassasiant est riche en protéines, en acides gras oméga-3, en acides aminés essentiels, en vitamines A, D, B, B6 et E, ainsi qu'en calcium, fer, zinc, magnésium et phosphore.*

SAUMON AUX ÉPINARDS

POUR 6 PERSONNES ▪ TEMPS DE PRÉPARATION : 10 MINUTES ▪ TEMPS DE CUISSON : 15 MINUTES

Le saumon n'a pas besoin d'être embelli. Veillez simplement à ne pas trop le cuire : il doit être à peine cuit au centre lorsque la casserole est retirée du four. Le saumon sauvage est un trésor pour les cuisiniers, mais le saumon d'élevage convient aussi très bien.

3 cuillères à soupe de beurre non salé
2 livres de bébés épinards frais
4 échalotes, émincées
6 filets de saumon
3 cuillères à soupe de jus de citron frais
Sel marin
Poivre noir fraîchement moulu
2 cuillères à café de feuilles de romarin frais finement hachées
6 quartiers de citron, pour la garniture
Sauce crémeuse au raifort, pour la garniture

1 Préchauffer le four à 325°F.

2 Enduire le fond d'un four hollandais de beurre. Répartir uniformément les feuilles d'épinards sur le beurre et parsemer d'échalotes émincées. Placez les filets de saumon sur les épinards, côté peau vers le bas, et arrosez-les de jus de citron. Assaisonner avec le sel, le poivre et le romarin.

3 Couvrir, placer dans le four chauffé et faire cuire pendant 8 à 10 minutes. Découvrez la marmite et vérifiez la cuisson du poisson. Si nécessaire, terminez la cuisson avec la marmite non couverte pendant 3 à 5 minutes, ou jusqu'à ce que le poisson soit opaque et que le saumon se défasse en flocons. Garnir de quartiers de citron ou d'une cuillerée de sauce au raifort.

MÉROU AUX LÉGUMES

POUR 4 À 6 PERSONNES ■ TEMPS DE PRÉPARATION : 20 MINUTES ■ TEMPS DE CUISSON : 50 MINUTES

Le mérou est un poisson maigre, ferme, à chair blanche, à la texture charnue et à la saveur si douce et subtile qu'il plaît même aux palais les plus difficiles. Bien que l'offre atteigne son maximum pendant les mois chauds, d'avril à octobre, il est disponible toute l'année. Ce délicieux plat en une seule fois est pauvre en calories.

2 livres de mérou
2 cuillères à soupe d'huile d'olive extra-vierge
1 bulbe de fenouil, finement tranché
2 branches de céleri, coupées en fines tranches
6 échalotes, épluchées et hachées
Sel
Poivre noir fraîchement moulu
4 onces de beurre, coupé en petits morceaux
2 cuillères à café d'aneth frais haché

1 Retirez la fine membrane qui recouvre le mérou. Retirez l'arête centrale (si le poisson n'est pas déjà désossé), et coupez le poisson en tranches diagonales de 1½ pouce d'épaisseur.

2 Dans un four hollandais à feu moyen, faites chauffer l'huile d'olive. Ajoutez le fenouil, le céleri et les échalotes, et faites-les cuire jusqu'à ce qu'ils commencent à ramollir. Transférer dans un petit bol.

3 Faites dorer le poisson dans l'huile et transférez-le dans une assiette. Remettez les légumes dans la marmite, puis déposez le poisson par-dessus. Assaisonnez de sel et de poivre.

4 Couvrir le four hollandais et faire cuire à feu doux pendant 5 minutes. Transférer les légumes dans un plat de service et couvrir pour garder au chaud. Couvrir le four hollandais et faire cuire le poisson pendant 30 à 40 minutes, ou jusqu'à ce qu'il soit tendre.

5 Transférer le poisson sur le plat de service avec les légumes.

6 Remettre le four hollandais sur le feu. Ramenez le liquide à ébullition et incorporez le beurre. Ajoutez l'aneth et faites cuire en remuant jusqu'à épaississement. Assaisonnez de sel et de poivre, et versez la sauce au beurre sur le poisson.

STEAKS D'ESPADON GRILLÉS

POUR 4 PERSONNES TEMPS DE PRÉPARATION : 10 MINUTES TEMPS DE CUISSON : 10 MINUTES

Les steaks de poisson fermes cuisent rapidement sur la cuisinière et constituent une alternative protéinée délicieuse et très saine. Pour un déjeuner ou un dîner léger et appétissant, servez-les avec des tranches d'avocat et votre salsa préférée, et garnissez-les d'un quartier de citron vert. N'hésitez pas à remplacer les steaks de thon, si vous préférez.

4 cuillères à soupe d'huile d'olive extra-vierge, divisées
2 cuillères à café de poudre de chili
2 cuillères à café d'origan séché, émietté
1 cuillère à café de sel marin
½ cuillère à café de poivre noir fraîchement moulu
4 steaks d'espadon, coupés à ¾ de pouce d'épaisseur

1 Mélangez 3 cuillères à soupe d'huile d'olive avec la poudre de chili, l'origan, le sel et le poivre. Badigeonnez les steaks d'espadon avec le mélange d'huile.

2 Dans un four hollandais à feu moyen, faites chauffer la cuillère à soupe d'huile d'olive restante. Ajoutez les steaks d'espadon et faites-les cuire pendant environ 4 minutes. Retournez-les et faites-les cuire quelques minutes de plus, jusqu'à ce qu'ils soient dorés des deux côtés, mais encore moelleux. Il est préférable que le poisson soit légèrement sous-cuit au centre, car il continuera à cuire un peu après que vous l'aurez retiré du feu.

CONSEIL D'INGREDIENT : *Lors de vos achats, recherchez l'espadon "clipper". Ce poisson est congelé en mer, juste après avoir été pêché, et est moins cher que les variétés "fraîches, jamais congelées". Les steaks d'espadon crus doivent présenter un motif en spirale dans la viande, sans peau terne ou décolorée. La couleur de la viande varie du blanc ou de l'ivoire au rose ou à l'orange. Une fois cuite, elle aura une teinte beige.*

LINGUINE AUX PALOURDES

POUR 6 À 8 PERSONNES▪ TEMPS DE PRÉPARATION : 20 MINUTES▪ TEMPS DE CUISSON : 30 MINUTES

Si vous êtes à la recherche d'un plat facile à préparer et qui ne manquera pas de vous impressionner, les palourdes sont tout indiquées. Les cuisiniers de tous niveaux peuvent préparer ces mollusques savoureux en toute confiance. Il est impossible de donner un temps de cuisson précis (cela dépend de la taille, de la quantité et de l'ustensile utilisé), mais faites-les cuire jusqu'à ce que les coquilles s'ouvrent.

2 paquets de linguine (16 onces)
2 cuillères à soupe d'huile d'olive extra-vierge, divisée en deux parties
4 gousses d'ail, émincées
3 boîtes de 28 onces de tomates prunes broyées
4 cuillères à café de sucre
Sel
Poivre noir fraîchement moulu
2 livres de palourdes, nettoyées
Feuilles de basilic frais, déchirées, pour la garniture

1 Dans un four hollandais, faites cuire les linguines selon les instructions figurant sur l'emballage. Égoutter et mettre de côté.

2 Dans la même casserole, faites chauffer 1 cuillère à soupe d'huile d'olive à feu moyen. Ajoutez l'ail et faites-le cuire pendant 1 minute. Incorporez les tomates, le sucre et le reste de l'huile d'olive. Réduisez le feu et laissez mijoter pendant 20 minutes, en remuant fréquemment. Assaisonnez de sel et de poivre.

3 Ajouter les palourdes. Cuire pendant 5 minutes, ou jusqu'à ce que les palourdes s'ouvrent. Jeter celles qui ne s'ouvrent pas. Incorporer les linguines et remuer pour les enrober. Garnir de basilic.

CONSEIL D'INGREDIENT : *Les palourdes doivent être lavées soigneusement pour éliminer toute imperfection. Examinez chaque coquille et jetez celles qui sont fissurées ou endommagées. Grattez les bernacles à l'aide d'un couteau. S'il y a des coquilles ouvertes dans le lot, tapez-les avec vos ongles ou contre une surface dure. Si elles ne se referment pas, jetez-les, elles sont probablement mortes.*

BOUILLABAISSE

POUR 4 À 6 PERSONNES TEMPS DE PRÉPARATION : 30 MINUTES TEMPS DE CUISSON : 60 MINUTES

La bouillabaisse trouve son origine dans le port maritime français de Marseille, où les pêcheurs locaux préparaient un ragoût à partir des poissons osseux qu'ils ne pouvaient pas vendre aux restaurants ou aux marchés. La recette a été adaptée au fil des ans pour inclure un nombre apparemment infini d'ingrédients, ce qui en fait le plat idéal à préparer en une seule fois. Servez avec des tranches épaisses de pain de campagne.

3 cuillères à soupe d'huile d'olive extra-vierge
6 gousses d'ail, émincées
1 à 2 oignons (environ ¾ de livre), coupés en dés
1 échalote, émincée
1 branche de céleri, émincée
1 carotte, coupée en dés
1½ cuillère à soupe de pâte de tomate
½ cuillère à café de safran
1 cuillère à café de basilic émincé ou 1 feuille de basilic frais
2 cuillères à soupe de persil frais haché
Sel
Poivre noir fraîchement moulu 1 boîte de 28 onces de tomates en dés, non égouttées
2 tasses de jus de palourdes
1 bocal (8 oz) d'huîtres fraîches, jus réservé
1 livre de poisson blanc (morue, flétan ou truite), coupé en petites bouchées.
2½ livres de mélange de fruits de mer (crevettes, palourdes, moules, homards, pétoncles, chair de crabe ou calmar)
2 cuillères à soupe de persil frais haché, pour la garniture

1 Dans un faitout à feu moyen, faire chauffer l'huile d'olive. Ajoutez l'ail, l'oignon, l'échalote, le céleri et la carotte, et faites-les sauter jusqu'à ce qu'ils soient légèrement dorés, environ 20 minutes.

2 Ajoutez le concentré de tomates, le safran, le basilic, le persil haché, le sel et le poivre. Mélangez bien.

3 Ajouter les tomates, le jus de palourdes et le jus du bocal d'huîtres. Portez la casserole à ébullition, baissez le feu et laissez mijoter pendant 15 minutes.

4 Ajouter les huîtres, le corégone et le mélange de fruits de mer. Portez la marmite à nouveau à ébullition. Enlevez l'écume ou la graisse. Baissez le feu et laissez mijoter pendant 15 minutes.

5 Garnir avec le persil haché.

CONSEIL DE CUISINE : *Réduisez de moitié votre temps de préparation en utilisant un mélange de fruits de mer congelé. Vous gagnerez beaucoup de temps et économiserez l'huile de coude nécessaire pour nettoyer et couper les fruits de mer.*

VOLAILLE

POULET AUX HERBES AVEC LÉGUMES DE PRINTEMPS

POUR 6 PERSONNES TEMPS DE PRÉPARATION : 10 MINUTES TEMPS DE CUISSON : 70 MINUTES

Cette recette nécessite des gousses d'ail, qui sont les sommets des plants d'ail récoltés au printemps. Vous trouverez les gousses d'ail sur votre marché local de la fin mai à la fin juin. Si vous ne trouvez pas de gousses d'ail, remplacez-les par quatre gousses d'ail hachées.

2 cuillères à soupe d'huile d'olive extra vierge
1 poulet entier, coupé en morceaux individuels
Sel marin
Poivre noir fraîchement concassé
1 oignon, finement haché
¼ tasse de gousses d'ail finement hachées
3 cuillères à soupe de farine
1 tasse de vin blanc sec
2 tasses de bouillon de poulet
10 carottes miniatures
2 tasses d'oignons perlés
2 tasses de petits pois
2 cuillères à soupe de thym frais haché
¼ de tasse de persil frais haché

1 Préchauffer le four à 350°F. Assaisonnez généreusement les morceaux de poulet avec du sel et du poivre.

2 Dans un grand four hollandais, faites chauffer l'huile d'olive à feu moyen-élevé jusqu'à ce qu'elle brille.

3 En travaillant par lots sans surcharger la marmite, faites dorer les morceaux de poulet de tous les côtés, environ 5 minutes par côté.

4 Mettez le poulet de côté sur un plateau, tendu de papier d'aluminium.

5 Ajoutez les oignons à l'huile dans la marmite et faites-les cuire, en remuant de temps en temps, jusqu'à ce qu'ils soient tendres, environ 5 minutes.

6 Ajoutez les scapes d'ail et faites cuire, en remuant constamment, pendant 1 minute.

7 Ajoutez la farine dans la marmite et faites cuire, en remuant constamment, pendant 1 minute.

8 Ajoutez le vin blanc dans la marmite. Utilisez une cuillère pour racler les morceaux brunis au fond de la casserole.

9 Ajoutez le bouillon de poulet, les carottes miniatures, les oignons perlés, les petits pois et le thym dans la marmite.

10 Remettez le poulet dans la marmite, en ajoutant les jus qui se sont accumulés sur le plateau. Mélangez le tout et portez le mélange à ébullition.

11 Couvrez le four néerlandais, mettez-le au four et faites-le cuire jusqu'à ce que le poulet soit bien cuit, environ 40 minutes.

12 Retirez la marmite du four et incorporez le persil haché. Servez immédiatement.

CONSEIL DE CUISSON : *Si vous surchargez le four à hollandais avec les morceaux de poulet pendant le brunissement initial, le poulet ne brunira pas efficacement - il fumera. Il est donc préférable de travailler en deux ou trois fois pour que le poulet ait suffisamment de temps pour dorer.*

RIZ AU POULET ET AU CHORIZO

POUR 6 À 8 PERSONNES TEMPS DE PRÉPARATION : 15 MINUTES TEMPS DE CUISSON : 1 À 1½ HEURE

Ce vénérable plat mexicain, appelé arroz con pollo au sud de la frontière, est traité comme un plat maison dans cette recette au four hollandais. Combinant des protéines, des céréales et des légumes dans une explosion de saveur, c'est le plat parfait en une seule fois.

8 cuisses de poulet désossées et sans peau (ou poitrines, si vous préférez)
Sel
Poivre noir fraîchement moulu
2½ cuillères à soupe d'huile d'olive extra-vierge
1 oignon, haché
3 gousses d'ail, émincées
2 tasses de riz long grain
2 cuillères à café de cumin moulu
2 cuillères à café de feuilles d'origan séchées écrasées
5 tasses de bouillon de poulet ou de bouillon à faible teneur en sodium
1 poivron vert, épépiné et coupé en dés
1¾ tasse de salsa épaisse et consistante (douce, moyenne ou piquante)
¾ de livre de saucisse de poulet chorizo épicée, coupée en dés
6 à 8 brins de feuilles de coriandre, pour la garniture
¼ tasse d'oignons verts hachés, pour la garniture
6 à 8 quartiers de lime, pour garnir

1 Préchauffer le four à 350°F.

2 Enlevez la graisse visible du poulet, et assaisonnez avec du sel et du poivre.

3 Dans un four hollandais à feu moyen, faites chauffer l'huile d'olive. Ajoutez la moitié des morceaux de poulet et faites-les cuire pendant environ 3 minutes. Retournez-les et faites-les cuire pendant 3 minutes, ou jusqu'à ce que le poulet soit légèrement bruni des deux côtés. Transférer le poulet dans un plat, au fur et à mesure qu'il cuit, et répéter l'opération avec les morceaux restants.

4 Ajouter de l'huile dans la marmite, si nécessaire, et ajouter l'oignon. Faites-le cuire jusqu'à ce qu'il soit ramolli. Ajoutez l'ail et faites-le cuire pendant 2 minutes, ou jusqu'à ce qu'il soit ramolli.

5 Ajouter le riz, le cumin, l'origan et un peu de sel, et faire cuire pendant 2 à 3 minutes, en remuant jusqu'à ce que le riz soit enrobé d'huile. Incorporez le bouillon. Ajoutez le poivron vert et la salsa. Portez à ébullition.

6 Couvrez, placez dans le four préchauffé et faites cuire pendant 30 minutes, ou jusqu'à ce que le liquide soit presque entièrement absorbé.

7 Incorporer le chorizo. Placez les morceaux de poulet dans le mélange de riz, et versez les jus de cuisson qui se sont accumulés sur le plateau. Couvrez, remettez au four et faites cuire pendant 20 minutes, ou jusqu'à ce que le poulet soit bien cuit et que le riz soit tendre.

8 Garnissez avec les feuilles de coriandre, les échalotes hachées et les quartiers de citron vert.

CONSEIL DE SUBSTITUTION : *Pour une version plus douce de ce plat fougueux, remplacez le poivron vert par une boîte de maïs doux. Pour une version plus épicée, ajoutez une boîte de piments verts doux hachés.*

POULET CACCIATORE

POUR 4 À 6 PERSONNES · TEMPS DE PRÉPARATION : 15 MINUTES · TEMPS DE CUISSON : 1 À 1½ HEURE

Cacciatore signifie "chasseur" en italien. On raconte qu'autrefois, si un chasseur rentrait bredouille, sa femme allait tuer un poulet. Ce plat peu commun est centré sur les ingrédients communs que sont le poulet et les légumes.

2 cuillères à soupe d'huile d'olive extra vierge
3½ à 4 livres de cuisses de poulet
1 oignon, coupé en tranches
1 poivron rouge, épépiné et tranché
8 oz de champignons de Paris, tranchés
2 gousses d'ail, tranchées
⅓ tasse de vin blanc
1 boîte (28 onces) de tomates prunes
2 cuillères à café de thym frais haché
2 cuillères à café d'origan frais haché
Sel
Poivre noir fraîchement moulu

1 Dans un four hollandais à feu moyen, faire chauffer l'huile d'olive. En travaillant par lots, faites cuire les morceaux de poulet, côté peau vers le bas, jusqu'à ce qu'ils soient uniformément dorés, environ 5 minutes. Retournez-les et répétez l'opération. Transférer sur un plateau et continuer avec le lot suivant.

2 Egouttez toute la graisse sauf 2 cuillères à soupe. Ajoutez l'oignon, le poivron et les champignons dans la marmite. Augmentez le feu à moyen-élevé. Cuire environ 10 minutes, en remuant fréquemment, ou jusqu'à ce que les oignons soient translucides. Ajouter l'ail et cuire pendant 1 minute. Ajoutez le vin et grattez les morceaux brunis au fond de la casserole. Laisser mijoter jusqu'à ce que le vin soit réduit de moitié.

3 Ajoutez les tomates. Incorporer le thym et l'origan, et assaisonner de sel et de poivre. Laissez mijoter, à découvert, pendant 5 minutes. Placez les morceaux de poulet sur la sauce tomate. Baissez le feu et couvrez avec le couvercle légèrement entrouvert.

4 Faites cuire à feu doux, en retournant et en arrosant de temps en temps, pendant 30 à 40 minutes, ou jusqu'à ce que le poulet soit tendre.

POT DE POULET AROMATIQUE

POUR 6 À 8 PERSONNES TEMPS DE PRÉPARATION : 15 MINUTES TEMPS DE CUISSON : 1½ HEURE

Quoi de mieux qu'un plat qui se cuisine pratiquement tout seul ? Les ingrédients de ce savoureux plat de poulet sont rapidement combinés dans le four hollandais, puis laissés à cuire pendant que vous rattrapez vos tâches ménagères, faites une randonnée ou commencez enfin ce livre qui traîne sur votre table de chevet. Servez avec du riz pour un repas sans gluten rassasiant et satisfaisant.

1 cuillère à soupe d'huile végétale
4 tasses de sauce tomate
3 gousses d'ail, émincées
1 gros oignon, haché
2 feuilles de laurier
2 cuillères à café d'origan séché émietté
1 cuillère à café de poudre de chili moulue
1 cuillère à soupe de vinaigre de vin rouge ou blanc
Sel
Poivre noir fraîchement moulu
4 à 5 livres de cuisses de poulet (ou une combinaison de cuisses et de jambes), dépouillées mais laissées sur l'os

1 Préchauffer le four à 350°F.

2 Mélanger dans un faitout l'huile végétale, la sauce tomate, l'ail, l'oignon, les feuilles de laurier, l'origan, la poudre de chili et le vinaigre. Assaisonnez avec du sel et du poivre, et remuez pour mélanger. Ajouter le poulet dans la marmite et remuer pour recouvrir chaque morceau de sauce.

3 Couvrez, placez dans le four chauffé et faites cuire pendant 1½ heure.

CONSEILS DE CUISINE : *Cette recette est si facile à réaliser que vous y reviendrez sans cesse. Pour varier les plaisirs, essayez d'ajouter de la saucisse chorizo pour un goût plus exotique. Pour une version plus épicée du plat, ajoutez deux boîtes de 4 onces de piments verts doux (égouttés). Et pour un plat plus savoureux, ajoutez un poivron vert ou rouge coupé en tranches.*

CANARD À LA SAUCE AUX OLIVES

POUR 4 À 6 PERSONNES TEMPS DE PRÉPARATION : 15 MINUTES TEMPS DE CUISSON : 1 À 1½ HEURE

Le canard a un goût plus fort et plus riche que les autres volailles. Il est étonnamment facile à préparer et constitue une base polyvalente pour de nombreuses saveurs. Lors de l'achat, recherchez une viande classée de haute qualité, comme la catégorie A de l'USDA.

1 cuillère à soupe d'huile d'olive extra-vierge
6 magrets de canard, peau incisée
3 échalotes, émincées
2 gousses d'ail
1 cuillère à soupe de feuilles de thym frais grossièrement hachées
1 feuille de laurier
1½ tasse de vin blanc sec
Poivre noir fraîchement moulu
½ tasse d'olives Kalamata dénoyautées
1 cube de bouillon
1 tasse d'eau

1 Préchauffez le four à 300°F.

2 Dans un faitout à feu moyen, faites chauffer l'huile d'olive. Tournez le feu à faible intensité, et saisissez la moitié des poitrines de canard, côté peau vers le bas, jusqu'à ce qu'elles soient croustillantes. Tourner et faire légèrement dorer l'autre côté. À l'aide d'une cuillère à rainures, transférez les poitrines de canard sur un plateau. Répétez l'opération pour les autres poitrines.

3 Filtrer la graisse de la marmite. Ajoutez les échalotes et l'ail. Faites-les légèrement revenir. Ajoutez le thym et le laurier, et faites-les revenir pendant 1 minute.

4 Ajouter le vin, assaisonner avec du poivre et réduire de moitié. Ajoutez les olives et faites-les sauter pendant 1 minute.

5 Remettez les magrets de canard dans la marmite, côté peau vers le haut. Ajoutez le cube de bouillon et l'eau, et portez à ébullition. Couvrez, placez dans le four chauffé, et laissez mijoter pendant 30 à 45 minutes, ou jusqu'à ce que les magrets de canard soient tendres.

6 Retirer les poitrines de canard et les placer sur un plateau. Faites réduire la sauce, en écumant la graisse du dessus. Versez la sauce sur les magrets de canard et servez.

CONSEIL DE CUISINE : *Utilisez la délectable graisse de canard pour préparer un plat d'accompagnement à base de pommes de terre. Réservez la graisse après l'avoir filtrée de la marmite. Une fois que vous avez vidé le faitout, ajoutez la graisse de canard et faites chauffer à feu moyen-élevé. Faites frire un lot de pommes de terre pelées et coupées en tranches (environ 1½ livre) jusqu'à ce qu'elles soient dorées. Assaisonnez avec une pincée de sel marin et servez avec le canard. Quel que soit le plat d'accompagnement que vous choisirez, n'oubliez pas de conserver la graisse de canard égouttée pour vos prochaines recettes. Elle renforce merveilleusement la saveur du canard et peut être conservée au congélateur pendant un an.*

PÂTES AU POULET

POUR 4 À 6 PERSONNES ■ TEMPS DE PRÉPARATION : 10 MINUTES ■ TEMPS DE CUISSON : 45 MINUTES

Les plats en cocotte sont parfaits pour utiliser les restes d'ingrédients d'une manière intéressante et délicieuse. Il y a aussi quelque chose de très satisfaisant à sortir une casserole chaude du four et à la placer au centre de la table. N'hésitez pas à substituer les ingrédients en fonction de vos préférences et de ce que vous avez dans votre réfrigérateur.

½ livre de pâtes penne
3 cuillères à soupe d'huile d'olive extra-vierge, divisée
1 oignon, haché
3 gousses d'ail, émincées
3 bottes de chou frisé, râpées
Sel
Poivre noir fraîchement moulu
1½ tasse de poulet cuit râpé
1 tasse de fromage gruyère râpé
Le jus d'un citron
¼ tasse de fromage parmesan râpé
¼ tasse de chapelure panko

1 Préchauffer le four à 375°F.

2 Portez une casserole d'eau salée à ébullition dans un four hollandais, et faites cuire les pâtes selon les instructions figurant sur l'emballage. Égoutter et mettre de côté.

3 Dans un four hollandais à feu moyen, faire chauffer 2 cuillères à soupe d'huile d'olive. Faites cuire l'oignon jusqu'à ce qu'il soit translucide, soit environ 5 minutes. Ajoutez l'ail et faites-le sauter pendant 30 secondes. Ajouter le chou frisé dans la marmite et assaisonner de sel et de poivre. Remuez plusieurs fois pour faire friser les légumes. Couvrez, réduisez le feu à moyen-doux et faites cuire jusqu'à ce que les légumes soient tendres, pendant environ 10 minutes.

4 Ajoutez les pâtes, le poulet, le gruyère et le jus de citron aux légumes verts, puis salez et poivrez.

5 Dans un petit bol, mélangez le parmesan, les miettes de panko et la cuillère à soupe d'huile d'olive restante. Saupoudrez le mélange sur le dessus des pâtes, et placez dans le four chauffé, à découvert, pendant 30 minutes, ou jusqu'à ce que le dessus soit doré.

CONSEIL D'INGREDIENT : *Le panko est une chapelure de style japonais, plus grossière, qui n'absorbe pas l'huile. Vous pouvez remplacer cette chapelure par de la chapelure ordinaire, mais elle ne sera pas aussi croustillante.*

POULET RÔTI AU CITRON

POUR 4 À 6 PERSONNES TEMPS DE PRÉPARATION : 15 MINUTES TEMPS DE CUISSON : 1 HEURE

On ne peut pas battre l'arôme merveilleux et le son crépitant du poulet qui rôtit au four. Cette recette prouve que ce plat classique ne doit pas être banal ou ennuyeux. Ajoutez quelques herbes et légumes, et vous obtiendrez un rôti en une seule fois, débordant de fraîcheur.

4 citrons, coupés en deux, divisés
1 poulet de taille moyenne (3½ à 4 livres), rincé et épongé, sans abats.
1 brin de romarin
1 brin de thym
1 brin d'origan
1 brin de persil
Une pincée de sel
Une pincée de poivre noir fraîchement moulu
6 cuillères à soupe d'huile d'olive extra-vierge, divisées en plusieurs parties
1 cuillère à soupe d'herbes de Provence
8 échalotes, épluchées
16 petits panais, épluchés

1 Préchauffez le four à 450°F.

2 Pressez le jus de 2 moitiés de citron dans la cavité du poulet, et placez les 2 moitiés à l'intérieur. Ajoutez le romarin, le thym, l'origan, le persil, le sel et le poivre.

3 Attachez les pattes ensemble sans serrer avec de la ficelle de cuisine. Enduisez le poulet de 3 cuillères à soupe d'huile d'olive. Saupoudrez d'herbes de Provence et d'une autre pincée de sel et de poivre.

4 Enduisez le fond du four hollandais avec les 3 cuillères à soupe d'huile d'olive restantes. Placez le poulet dans la marmite, et entourez-le des échalotes, des panais et des 6 moitiés de citron restantes.

5 Faire rôtir au four pendant 15 minutes. Baisser le feu à 350°F et faire rôtir pendant 45 minutes, ou jusqu'à ce que le jus du poulet soit clair lorsqu'on perce la cuisse avec une fourchette. Servir sur un plat entouré des légumes et des citrons.

CONSEIL DE CUISSON : *Laissez le poulet rôti reposer pendant 15 à 20 minutes avant de le découper, afin que les jus soient réabsorbés par la viande.*

POITRINES DE POULET FARCIES AU FROMAGE DE CHÈVRE

POUR 6 PERSONNES TEMPS DE PRÉPARATION : 15 MINUTES TEMPS DE CUISSON : 30 MINUTES

Cette recette est une version étonnamment sophistiquée du poulet, et étonnamment simple à réaliser. Les poitrines de poulet farcies au fromage de chèvre reposant sur un lit de pommes de terre tendres et d'asperges remplissent tous les critères : rapide, facile, abordable et garantie d'être le favori de la foule.

POUR LA GARNITURE
4 cuillères à soupe de fromage de chèvre
2 cuillères à café de thym frais haché
Sel
Poivre noir fraîchement moulu

POUR LE POULET
4 poitrines de poulet désossées et sans peau
2 cuillères à soupe d'huile d'olive extra-vierge, divisées
12 onces de pommes de terre Yukon Gold ou fingerling, coupées en deux
6 tiges d'asperges, coupées en quatre
2 échalotes, finement tranchées
Sel
Poivre noir fraîchement moulu

1 Préchauffer le four à 375°F. Dans un petit bol, mélanger le fromage de chèvre et le thym, saler et poivrer. Mettre de côté.

2 Découpez une poche profonde à l'intérieur de chaque poitrine de poulet, à l'aide d'un couteau d'office bien aiguisé. Avec vos doigts, remplissez chaque poche avec un quart du mélange de fromage de chèvre. Fermez l'ouverture en pressant délicatement. Assaisonnez le poulet avec du sel et du poivre.

3 Dans un four hollandais à feu moyen, faire chauffer 1 cuillère à soupe d'huile d'olive. Ajouter 2 des poitrines de poulet et faire cuire pendant 2 à 3 minutes par côté, ou jusqu'à ce qu'elles soient dorées. Transférer dans un plat de service. Répétez l'opération avec le lot suivant.

4 Faites chauffer la cuillère à soupe d'huile d'olive restante dans le faitout à feu moyen. Ajoutez les pommes de terre, les asperges et les échalotes. Mélangez le tout et assaisonnez de sel et de poivre.

5 Disposez les poitrines de poulet sur les légumes. Mettez au four, à découvert, et faites cuire pendant 20 minutes, ou jusqu'à ce que les pommes de terre soient tendres et que le poulet soit bien cuit.

SAUTÉ DE POULET ET DE LÉGUMES

POUR 4 À 6 PERSONNES ▪ TEMPS DE PRÉPARATION : 15 MINUTES ▪ TEMPS DE CUISSON : 15 MINUTES

Ce plat est si délicieux et étonnamment rapide à préparer. Du poulet tendre et savoureux et des légumes légèrement cuits constituent un repas de semaine sain et facile à préparer. Faire mariner le poulet ne serait-ce que quelques minutes pendant la préparation des légumes fait toute la différence.

4 poitrines de poulet désossées et sans peau, tranchées
2 cuillères à soupe de sauce soja
2 cuillères à soupe de vin de riz ou de sherry sec
2 gousses d'ail, écrasées
1 morceau (1 pouce) de racine de gingembre frais, finement haché
2 cuillères à soupe d'huile d'arachide, divisées en deux parties
4 oignons verts, finement tranchés
4 onces de pois mange-tout
4 onces de bok choy, coupés en petits morceaux
1 boîte (8 onces) de pousses de bambou, égouttées
2 cuillères à soupe de sauce hoisin
Poivre noir fraîchement moulu

1 Dans un bol moyen, mélangez le poulet, la sauce soja, le vin de riz, l'ail et le gingembre, et laissez mariner pendant la préparation des légumes.

2 Faites chauffer 1 cuillère à soupe d'huile d'arachide dans un four néerlandais à feu moyen. Ajoutez les oignons verts et faites-les sauter pendant 1 minute. Retirez le poulet de la marinade. Ajoutez-le dans la marmite et faites-le sauter vivement pendant 4 à 5 minutes, jusqu'à ce qu'il soit bien cuit et bruni de tous les côtés. Utilisez une cuillère à trous pour retirer le poulet de la marmite.

3 Faites chauffer la cuillère à soupe d'huile d'arachide restante. Ajoutez les pois mange-tout et le bok choy. Faites-les sauter pendant 1 à 2 minutes. Ajoutez les pousses de bambou, et faites-les cuire pendant 1 à 2 minutes.

4 Remettez le poulet dans la marmite. Ajoutez la sauce hoisin et remuez. Assaisonnez avec un peu de poivre noir.

CONSEIL DE CUISINE : *Pour réduire de moitié le temps de préparation, prenez un paquet (12 onces) de lanières de poulet déjà tranchées. Pour un repas plus robuste, servez-le sur du riz et saupoudrez-le de 2 cuillères à café de graines de sésame.*

POULET AUX OIGNONS ET À L'AIL

POUR 6 PERSONNES ▪ TEMPS DE PRÉPARATION : 15 MINUTES ▪ TEMPS DE CUISSON : 1½ HEURE

Les oignons, l'ail et le safran servent de feuillets aromatiques au poulet dans cette recette qui laisse votre four hollandais faire le gros du travail, vous permettant de superviser les devoirs, d'écouter la journée de votre conjoint ou de rattraper votre retard ! Vous pourrez ainsi superviser les devoirs, écouter la journée de votre conjoint ou rattraper votre retard, tout en sachant que vous servirez une marmite chaude et fumante.

2 cuillères à soupe d'huile d'olive extra-vierge
6 poitrines de poulet désossées et sans peau
8 onces d'oignons perlés
2 gousses d'ail, écrasées
1 livre de tomates, pelées et coupées en morceaux
1 feuille de laurier
1 cuillère à soupe de feuilles de thym frais hachées grossièrement
2 cuillères à soupe de persil frais haché
Une pincée de safran
2 cuillères à soupe de vin blanc sec
Sel
Poivre noir fraîchement moulu
Jus d'un citron

1 Dans un four hollandais à feu moyen, faites chauffer l'huile d'olive. Ajoutez le poulet et faites-le cuire jusqu'à ce que chaque poitrine soit d'un brun doré pâle. Transférez le poulet dans un plat.

2 Ajouter les oignons et l'ail dans la marmite. Faites cuire à feu doux, en remuant de temps en temps, jusqu'à ce que les oignons commencent à brunir.

3 Incorporer les tomates coupées, la feuille de laurier, le thym, le persil, le safran, le vin, le sel et le poivre. Portez à ébullition.

4 Remettez les poitrines de poulet dans le four hollandais. Couvrez et laissez cuire à feu doux pendant 1 heure.

5 Incorporer le jus de citron. Assaisonnez de sel et de poivre. Retirez la feuille de laurier avant de servir.

CASSEROLE DE POULET, POMMES DE TERRE ET BROCOLI

POUR 6 PERSONNES TEMPS DE PRÉPARATION : 10 MINUTES TEMPS DE CUISSON : 2 HEURES

Cette casserole riche et crémeuse réchauffera les cœurs et les estomacs par une froide soirée d'hiver. Remplie de protéines et de légumes riches en nutriments, elle est à la fois nourrissante et nourricière, et facile à préparer.

Vaporisateur de cuisson
1 boîte (15 onces) de crème de brocoli condensée
1 tasse de crème sure
1½ tasse de fromage suisse râpé
½ tasse de lait
6 tasses de pommes de terre nouvelles coupées en cubes
3 tasses de poulet cuit haché
1 cuillère à café d'assaisonnement italien
Sel
Poivre noir fraîchement moulu
2 tasses de fleurons de brocoli
¼ tasse de feuilles de basilic frais hachées

1 Préchauffer le four à 350°F.

2 Enduire légèrement un four hollandais de spray de cuisson. Mélanger la soupe et la crème sure. Incorporer le fromage, le lait, les pommes de terre, le poulet et l'assaisonnement. Assaisonner de sel et de poivre.

3 Couvrez, placez dans le four chauffé et faites cuire pendant 1 à 1½ heure.

4 Incorporer le brocoli. Remettez au four et faites cuire, à découvert, pendant 10 minutes. Incorporer le basilic et servir.

CONSEIL DE CONSERVATION : *Faites une grande quantité et gardez les restes : Répartissez-les dans de petits récipients peu profonds pour les refroidir rapidement au réfrigérateur et utilisez-les dans les trois ou quatre jours qui suivent.*

PORC, BŒUF ET AGNEAU

CÔTELETTES DE PORC JERK AVEC DES PLANTAINS

POUR 6 À 8 PERSONNES TEMPS DE PRÉPARATION : 1¼ HEURES TEMPS DE CUISSON : 35 MINUTES

Les bananes plantains glacées au miel sont un accompagnement doux pour le porc épicé à la sauce jerk. Si vous n'avez pas le temps d'assaisonner les côtelettes à l'avance, faites-les griller telles quelles, en ajoutant un peu d'assaisonnement dans la marmite pour infuser la sauce d'épices aromatiques.

8 côtelettes de porc
4 cuillères à soupe d'huile d'olive extra-vierge, plus un filet pour la cuisson
2 cuillères à soupe de poudre d'oignon
2 cuillères à café de thym
1 cuillère à café de piment de la Jamaïque moulu
½ cuillère à café de cumin moulu
2 cuillères à café de sel marin, divisées
1 kg de bananes plantains mûres, pelées et coupées en tranches d'un pouce d'épaisseur
½ tasse de beurre fondu
½ tasse de miel

1 Frottez uniformément les côtelettes de porc avec les 4 cuillères à soupe d'huile d'olive, la poudre d'oignon, le thym, le piment de la Jamaïque, le cumin et 1 cuillère à café de sel. Laissez reposer pendant 1 heure.

2 Préchauffer le four à 350°F.

3 Dans un four hollandais à feu moyen, faire chauffer le reste de l'huile d'olive. Ajouter la moitié des côtelettes de porc et faire cuire pendant environ 4 minutes. Retourner et cuire pendant 4 minutes, ou jusqu'à ce que le porc soit légèrement bruni des deux côtés. Retirer sur un plateau et répéter l'opération avec les autres côtelettes. Égoutter toute la graisse. Couvrir pour garder au chaud.

4 Mélangez les plantains, le beurre, le miel et la cuillère à café de sel restante dans le four hollandais. Couvrez, placez dans le four chauffé et faites cuire pendant 20 minutes, ou jusqu'à ce qu'elles soient tendres et brunes, en les retournant une fois. Servir avec les côtelettes de porc.

CONSEIL INGREDIENTS : *Les bananes plantains contiennent plus d'amidon et moins de sucre que les bananes. Elles remplacent souvent les pommes de terre et les pâtes dans les recettes antillaises. Vendues dans la section des produits frais du supermarché, elles sont disponibles toute l'année. Contrairement aux bananes, les bananes plantains sont cuites avant d'être servies, et fonctionnent comme des légumes plutôt que des fruits.*

BURRITOS DE PORC EFFILOCHÉ

POUR 6 À 8 PERSONNES ▪ TEMPS DE PRÉPARATION : 10 MINUTES ▪ TEMPS DE CUISSON : 4 À 4½ HEURES

Quoi de plus facile que de jeter tous les ingrédients dans un four hollandais et de le laisser s'occuper de la cuisson pour vous ? Bien que cette recette demande un long temps de cuisson, la supervision de la cuisson demande un minimum d'efforts. En braisant lentement le porc au four, on obtient une viande tendre, savoureuse et riche en saveurs.

POUR LE PORC
1 gros oignon, haché
4 gousses d'ail, écrasées
1 épaule de porc avec os (4 à 5 livres)
1 cuillère à soupe de graines de coriandre
1 cuillère à soupe de graines de cumin
2 cuillères à café de feuilles d'origan séchées
3 piments chipotle en conserve
2 feuilles de laurier
Sel

POUR SERVIR
Tortillas de maïs, réchauffées
Salsa, pour garnir
Quartiers de citron vert, pour garnir
Avocats tranchés, pour garnir
Coriandre hachée, pour garnir

1 Préchauffez le four à 450°F.

2 Dans un four hollandais, placez l'oignon, l'ail, le porc, la coriandre, le cumin, l'origan, les piments chipotle et les feuilles de laurier. Ajouter suffisamment d'eau pour couvrir la viande. Placez le tout sur un feu moyen-élevé, couvrez et portez à ébullition. Réduisez le feu et laissez mijoter jusqu'à ce que la viande se détache de l'os (3 à 4 heures).

3 Retirez la viande sur un plateau. Versez le bouillon dans un récipient et mettez-le de côté.

4 Remettez la viande dans le four hollandais, et placez-le dans le four chauffé, à découvert. Faites cuire jusqu'à ce que le porc soit bruni, et jetez les feuilles de laurier.

5 Déchiqueter grossièrement le porc à l'aide de deux fourchettes, en jetant le gras. Assaisonner avec du sel. Répartir le mélange de viande dans les tortillas et garnir de salsa, de quartiers de lime, d'avocats ou de coriandre.

CONSEIL DE CONSERVATION : *Le bouillon de porc est si délicieux que nous vous recommandons de le réserver et de l'utiliser plus tard dans des soupes et des ragoûts. Après l'avoir versé, utilisez une cuillère pour enlever la graisse en surface, puis réfrigérez ou congelez.*

POT DE PORC À TROIS VOIES

POUR 6 À 8 PERSONNES TEMPS DE PRÉPARATION : 30 MINUTES TEMPS DE CUISSON : 3½ À 4 HEURES

Cette recette est le rêve de tout amateur de viande. Trois morceaux de porc sont cuits lentement dans un bouillon aromatique pour libérer progressivement leur saveur et attendrir la viande afin qu'elle fonde dans votre bouche. Tous ces bienfaits, auxquels s'ajoute une portion saine de légumes, font de cette recette un plat unique sensationnel et satisfaisant.

1½ livre de poitrine de porc, dégraissée et rayée en forme de losange.
1 carré de côtes de porc
2 jarrets de porc
5 gousses d'ail, hachées
4 échalotes, coupées en dés
2 brins de thym
½ tasse de sucre brun foncé
2 feuilles de laurier
Poivre noir fraîchement moulu
1 pinte de bouillon de poulet ou de bouillon
12 onces de haricots blancs, navy ou cannellini
1 boîte de tomates en dés de 15 oz.
1 tasse de vin blanc sec
6 onces de carottes miniatures
2 branches de céleri, coupées en morceaux de 2 pouces
6 onces d'oignons perlés
1 cuillère à soupe de fécule de maïs

1 Préchauffer le four à 275°F.

2 Placez la poitrine, les côtes et les jarrets de porc dans un faitout et couvrez d'eau. Portez à ébullition, puis égouttez et rincez le porc.

3 Remettez le porc dans la marmite. Ajoutez l'ail, les échalotes, le thym, la cassonade et les feuilles de laurier. Assaisonner de poivre. Portez à ébullition. Couvrez, placez dans le four préchauffé et faites cuire pendant 2 heures.

4 Transférez le porc sur un plateau. Filtrez et conservez le bouillon, en jetant le thym et les feuilles de laurier.

5 Utilisez deux fourchettes pour retirer la viande des jarrets, et découpez la poitrine de porc en morceaux de 2 pouces.

6 Remettez le porc et le bouillon dans la marmite. Ajoutez les haricots, les tomates et le vin. Couvrez et laissez mijoter à feu doux pendant environ 1 heure, ou jusqu'à ce que les haricots soient presque tendres.

7 Ajouter les carottes, le céleri et les oignons perlés. Couvrez et faites cuire pendant environ 15 minutes, jusqu'à ce qu'ils soient tendres.

8 Transférez la viande et les légumes sur un plat de service. Portez le liquide restant à ébullition et épaississez-le avec un mélange de fécule de maïs et d'une cuillère à soupe d'eau. Versez la sauce à la louche sur la viande et les légumes. Servez.

CONSEILS SUR LES INGRÉDIENTS : *Lorsque vous achetez du porc, il existe quelques astuces pour sélectionner la meilleure qualité possible. Assurez-vous toujours que la viande de porc a une couleur rouge rosée et évitez les morceaux de couleur pâle. Choisissez une viande qui présente des marbrures ou de petites taches de graisse - plus il y a de marbrures, plus il y a de saveur. Vérifiez simplement que le gras est blanc, sans taches sombres. Évitez également de choisir une viande dont les os sont de couleur foncée.*

PORC CLASSIQUE ET HARICOTS

POUR 4 À 6 PERSONNES TEMPS DE PRÉPARATION : 10 MINUTES TEMPS DE CUISSON : 6 HEURES

L'association du porc et des haricots, riche en protéines, est omniprésente dans le régime alimentaire américain et est le plus souvent associée à l'époque des chuckwagons, lorsque les cuisiniers de bétail préparaient des haricots, des biscuits et du bacon pour les cow-boys voraces pendant les légendaires voyages de trois mois et de 160 km. Cette recette savoureuse recrée un morceau de l'Amérique classique dans le confort de votre propre cuisine.

1¼ lb de haricots blancs secs crus, trempés dans l'eau pendant la nuit.
8 onces de porc salé, coupé en morceaux de ½ po.
10 gousses d'ail, pelées et coupées en deux
1½ tasse d'oignons émincés
1 tasse de ketchup
¼ tasse de sirop de maïs
3 brins de thym
½ cuillère à café de moutarde sèche
Sel
Poivre noir fraîchement moulu

1 Préchauffez le four à 300°F.

2 Dans un four hollandais, faire cuire les haricots dans l'eau bouillante pendant environ 20 minutes, ou jusqu'à ce qu'ils soient tendres. Égoutter.

3 Ajouter le porc, l'ail, les oignons, le ketchup, le sirop de maïs, le thym et la moutarde sèche. Ajoutez de l'eau jusqu'à ce que les haricots soient couverts, et assaisonnez de sel et de poivre. Couvrez, placez dans le four préchauffé et laissez cuire pendant 6 heures.

CONSEIL DE CUISINE : *Ne vous inquiétez pas s'il vous manque l'un des ingrédients précédents. Un livre de cuisine de 1832 (The American Frugal Housewife) ne mentionne que trois ingrédients pour ce plat : une pinte de haricots, une livre de porc salé et du poivre !*

PORC ÉPICÉ AUX LÉGUMES D'HIVER

POUR 4 À 6 PERSONNES ▪ TEMPS DE PRÉPARATION : 30 MINUTES ▪ TEMPS DE CUISSON : 1½ À 2 HEURES

Le rôti d'épaule de porc est un morceau peu coûteux qui se prête bien au braisage et au ragoût. Épicée, sucrée et succulente, cette recette à rôtir lentement en une seule fois ne nécessite qu'un minimum de préparation et, grâce au four hollandais, ne requiert aucune surveillance pendant la cuisson.

1½ lb de courge musquée, pelée, épépinée et coupée en morceaux de 1 po.
1½ livres de patates douces, épluchées et coupées en morceaux de 1 pouce.
1 cuillère à soupe d'huile d'olive extra vierge
¼ tasse de sucre brun
1 cuillère à café de cannelle moulue
1 cuillère à café de gingembre moulu
Sel
Poivre noir fraîchement moulu
2 oignons, hachés
1 rôti d'épaule de porc désossé (environ 2½ lb), dégraissé et coupé en morceaux de 1 po.
1 tasse de bouillon de poulet ou de bouillon à faible teneur en sodium

1 Chauffez le four à 300°F.

2 Dans un grand bol, mélanger la courge, les patates douces et l'huile d'olive. Remuer pour les enrober. Dans un petit bol, mélanger la cassonade, la cannelle, le gingembre, le sel et le poivre. Saupoudrer la moitié du mélange de sucre sur le mélange de courge. Remuer pour enrober. Transférer le mélange de courges dans le four hollandais. Incorporer les oignons. Dans le même grand bol, mélanger le porc et le reste du mélange de sucre. Mélanger pour enrober. Ajouter au four hollandais, puis incorporer le bouillon.

3 Couvrez, placez dans le four chauffé et faites cuire pendant 1½ à 2 heures.

CONSEIL D'INGREDIENTS : *Une coupe de viande plus dure, comme le rôti d'épaule de porc, est idéale pour la cuisson lente. Elle contient plus de tissu conjonctif et ne se désintègre donc pas lorsqu'elle est rôtie lentement. Et comme elle contient plus de gras, elle reste juteuse et tendre pendant la cuisson.*

GOULASH DE PORC

POUR 4 À 6 PERSONNES TEMPS DE PRÉPARATION : 15 MINUTES TEMPS DE CUISSON : 3 HEURES

La goulash est le plat national de la Hongrie. C'est un ragoût de viande et de légumes, assaisonné de paprika et d'autres épices, qui se prépare à l'avance. Laissez le goulasch refroidir à température ambiante et mettez-le au réfrigérateur, avec la casserole. Au moment de servir, ramenez la marmite à température ambiante. Réchauffez-la dans un four à 325°F pendant environ 30 minutes, ou jusqu'à ce que le goulasch soit bien chaud.

5 tranches de bacon, coupées en dés
2 oignons doux, grossièrement hachés
1½ cuillère à soupe de paprika hongrois
2 livres de porc maigre désossé, coupé en cubes de 1 pouce
Sel
Poivre noir fraîchement moulu
1 boîte de tomates en dés de 15 oz.
1 cuillère à café de marjolaine séchée, émiettée
2 gousses d'ail, finement hachées
1½ tasse de vin blanc sec
1 tasse de bouillon de poulet
Crème sure faible en gras, pour la garniture
Persil frais finement haché, pour la garniture

1 Préchauffer le four à 425°F.

2 Dans un four hollandais, mettez les morceaux de bacon. Couvrez, placez dans le four préchauffé et faites cuire pendant environ 20 minutes, ou jusqu'à ce que la graisse soit fondue. Réduisez la température à 350°F. Ajoutez les oignons. Remuez, couvrez et laissez cuire les oignons pendant environ 30 minutes, ou jusqu'à ce qu'ils soient translucides et dorés. Incorporer le paprika.

3 Assaisonnez les cubes de porc avec le sel et le poivre. Ajoutez-les dans la marmite et remuez. Couvrez, remettez au four et laissez cuire pendant 20 minutes.

4 Ajouter les tomates, la marjolaine et l'ail. Incorporer le vin et le bouillon.

5 Couvrez, remettez au four et faites cuire pendant 1½ à 2 heures, en remuant de temps en temps, jusqu'à ce que la viande soit tendre.

6 Servir garni de crème aigre et de persil.

CONSEIL D'INGREDIENT : *Utilisez du paprika hongrois pour ce plat, vous en trouverez au supermarché. Le paprika est l'épice nationale de la Hongrie, et comme le goulasch est le plat national, il est utilisé de façon prédominante dans toutes les recettes de goulasch que vous trouverez.*

ÉPAULE DE PORC RÔTIE

POUR 6 PERSONNES TEMPS DE PRÉPARATION : 10 MINUTES TEMPS DE CUISSON : 9½ À 10½ HEURES

Cuite lentement pendant environ 10 heures, la viande fond à l'os. Bien que le temps de cuisson soit long, il ne nécessite qu'une surveillance minimale, grâce à la capacité du four hollandais à cuire lentement et uniformément. Préparez ce plat le matin et offrez à votre famille un festin appétissant le soir. Servez avec des légumes verts braisés ou de la purée de pommes de terre.

4 panais, coupés en gros morceaux
4 carottes, grossièrement coupées
3 oignons, grossièrement hachés
3 bulbes d'ail, gousses grossièrement écrasées
1 bouquet de thym frais, haché
1 épaule de porc (5-6 livres)
3 cuillères à soupe d'huile d'olive extra-vierge
1 tasse de vinaigre balsamique
1 tasse de vin blanc
2 tasses de bouillon de poulet

1 Préchauffez le four à 450°F.

2 Dans un faitout, mélanger les panais, les carottes, les oignons, l'ail et le thym. Frottez l'épaule de porc avec l'huile d'olive et placez-la sur les légumes. Ajouter le vinaigre, le vin et le bouillon.

3 Placez la marmite, à découvert, dans le four préchauffé, et faites cuire pendant 30 minutes. Baissez la température à 250°F, couvrez et laissez cuire pendant 9 à 10 heures, ou jusqu'à ce que la viande soit tendre et se défasse facilement à la fourchette.

CONSEIL DE CUISSON : *Une fois le porc sorti du four, laissez-le reposer pendant 30 minutes avant de le servir. En le laissant reposer, les jus seront réabsorbés par la viande, et le porc sera parfaitement tendre et juteux à la dégustation.*

RAGOÛT DE CÔTES DE PORC

POUR 4 À 6 PERSONNES TEMPS DE PRÉPARATION : 10 MINUTES TEMPS DE CUISSON : 2 À 2½ HEURES

Lorsqu'il s'agit de plats réconfortants pour l'hiver, il est difficile de battre le goût d'une casserole cuite lentement. Et une casserole est si facile à préparer. Dans celle-ci, des côtes de porc, des haricots pinto et des poivrons sont combinés dans un four hollandais, assaisonnés de poudre de chili et de cumin, et laissés cuire à la perfection tandis que les saveurs se libèrent lentement.

1 cuillère à soupe d'huile végétale
2 livres de côtes de porc désossées de style rustique
1 poivron rouge, épépiné et haché
1 piment poblano, épépiné et haché
1½ cuillère à café d'ail haché en bouteille
2 boîtes de haricots pinto de 15 onces, rincés et égouttés
1 boîte de 28 oz de tomates broyées
1 oignon moyen, haché
1 cuillère à soupe de poudre de chili
1 cuillère à café de cumin moulu
Sel
Poivre noir fraîchement moulu

1 Préchauffer le four à 325°F.

2 Faites chauffer l'huile végétale dans un faitout à feu moyen. Faites cuire les côtes de porc, par lots, jusqu'à ce qu'elles soient dorées des deux côtés. Transférer les côtes dans une assiette, et égoutter la graisse de la marmite.

3 Dans le four hollandais, mélanger les poivrons et les piments poblano, l'ail, les haricots, les tomates, l'oignon, la poudre de chili, le cumin, le sel et le poivre. Ajouter les côtes.

4 Couvrez, mettez au four et faites cuire pendant 2 à 2½ heures, ou jusqu'à ce que la viande soit tendre.

5 Sur un plan de travail propre, séparez les côtes en morceaux de la taille d'une portion. Remettre dans la marmite, en remuant pour combiner le tout. Servir dans le four hollandais avec un côté de pain de maïs.

CONSEIL D'INGREDIENTS : *Le poblano est l'un des piments les plus populaires de la cuisine mexicaine. Gros et succulent, avec une belle couleur vert foncé qui semble presque noire, il peut rehausser les rôtis, les ragoûts, les casseroles, les chilis et les sauces - mais ne le mangez pas cru.*

BŒUF BOURGUIGNON

POUR 6 À 8 PERSONNES ▪ TEMPS DE PRÉPARATION : 30 MINUTES ▪ TEMPS DE CUISSON : 3 À 3½ HEURES

Ce plat traditionnel français est originaire de la région de Bourgogne. Notre recette reste fidèle à la combinaison classique de bœuf braisé dans du vin rouge (généralement un Bourgogne) et du bouillon de bœuf, le tout agrémenté d'ail et d'oignons. Malgré ses origines paysannes, le bœuf bourguignon est un ragoût sophistiqué qui impressionnera tous les publics.

2½ livres de paleron de bœuf, coupé en cubes de 1 pouce
Sel
Poivre noir fraîchement moulu
¾ tasse de farine sans gluten (faite à partir de fèves ou de haricots garbanzoïdes), divisée.
4 cuillères à soupe d'huile d'olive extra-vierge
6 onces de bacon fumé au bois de pommier, en dés
12 oignons perlés, épluchés
12 carottes miniatures, épluchées et coupées en deux
1 livre de champignons, coupés en tranches
2 cuillères à soupe de beurre
2 oignons, coupés en dés
6 gousses d'ail, épluchées et hachées
2 cuillères à soupe de pâte de tomate
½ cuillère à café de thym séché
1 bouteille (750 millilitres) de vin rouge sec de Bourgogne
1 pinte de bouillon de bœuf

1 Préchauffer le four à 325°F.

2 Saler et poivrer les cubes de bœuf, puis les enrober légèrement de ½ tasse de farine.

3 Dans un four hollandais à feu moyen, faites chauffer l'huile d'olive. Faites cuire le bacon jusqu'à ce que la graisse soit fondue. Transférer dans un plat. En travaillant par lots, saisir le boeuf dans la graisse chaude pendant 3 à 5 minutes, jusqu'à ce qu'il soit bruni de tous les côtés. Transférez-le dans le plat avec le bacon et continuez à le saisir jusqu'à ce que tout le boeuf soit bruni.

4 Ajoutez les oignons perlés, les carottes et les champignons dans la marmite et faites-les cuire pendant 2 à 3 minutes. Transférer dans un plat.

5 Ajouter le beurre dans la marmite. Ajouter les oignons et l'ail, et faire cuire pendant 4 à 5 minutes, ou jusqu'à ce qu'ils soient transparents.

6 Incorporer le ¼ de tasse de farine restant, la pâte de tomate et le thym. Faites cuire pendant 2 minutes.

7 Déglacez la marmite avec le vin, et portez à ébullition. Versez le bouillon et portez à nouveau à ébullition.

8 Remettez le bacon et les cubes de bœuf dans la marmite. Portez à ébullition. Couvrez, placez dans le four chauffé et faites cuire pendant 2 à 2½ heures.

9 Remettez les oignons perlés, les carottes et les champignons dans la marmite. Laissez cuire pendant 30 minutes.

CONSEILS SUR LES INGRÉDIENTS : *La section de bœuf "Chuck" provient de l'épaule et du cou de l'animal. Ce morceau de viande délectable est facile à manger pour le portefeuille. Le fait qu'il soit dur et gras le rend parfait pour une cuisson lente, car la viande reste tendre sans se désagréger au four.*

RÔTI DE BŒUF EN CROÛTE D'HERBES ET POMMES DE TERRE

POUR 6 PERSONNES TEMPS DE PRÉPARATION : 10 MINUTES TEMPS DE CUISSON : 1 À 1½ HEURE

L'œil de ronde est un morceau assez peu coûteux et extrêmement maigre provenant de l'arrière-train de la vache. Plus le rôti est gros, plus il sera long à cuire - et plus les restes seront savoureux pour les sandwichs. La précuisson des pommes de terre garantit qu'elles seront cuites lorsque le rôti sera cuit à votre goût.

12 pommes de terre nouvelles (environ 1½ livres)
1 cuillère à café de sel marin
1 cuillère à café de poivre noir
4 gousses d'ail, émincées
1 cuillère à café de thym séché
1 cuillère à café de romarin séché
2 cuillères à soupe de moutarde de Dijon
3 livres de rôti d'oeil de ronde

1 Préchauffer le four à 325°F.

2 Dans un faitout à feu moyen, porter l'eau à ébullition. Faire bouillir les pommes de terre jusqu'à ce qu'elles soient à peine cuites. Transférer dans un bol.

3 Mélangez le sel, le poivre, l'ail, le thym, le romarin et la moutarde pour obtenir une pâte et étalez-la sur le rôti. Placez la viande dans le four hollandais, côté gras vers le haut, et faites-la rôtir pendant environ 20 minutes par livre, ou jusqu'à ce que la température interne atteigne 125°F pour une viande saignante, 150°F pour une viande moyenne ou 160°F pour une viande bien cuite.

4 Environ 30 minutes avant que le bœuf ne soit cuit à votre goût, ajoutez les pommes de terre dans la marmite, en les retournant de tous les côtés.

PORC AVEC RIZ ET HARICOTS

POUR 6 PERSONNES TEMPS DE PRÉPARATION : 10 MINUTES TEMPS DE CUISSON : 2½ À 3 HEURES

Les morceaux de viande les plus négligés sont souvent les plus savoureux. Le jarret est un morceau de porc épais qui provient de la cuisse du porc, entre le jambon et le pied. Il est bon marché et savoureux en soi, et ajoute une tonne de saveur à une casserole de soupe, de ragoût ou de haricots.

1 boîte (15 onces) de haricots rouges
1 jarret de porc fumé (environ 1½ livres)
12 onces de chorizo, coupé en morceaux de ½ pouce
2½ tasses de bouillon de poulet ou de bouillon à faible teneur en sodium
1 oignon, haché
1 branche de céleri, hachée
1 cuillère à soupe de pâte de tomate
2 gousses d'ail, émincées
½ cuillère à café de thym séché écrasé
½ cuillère à café d'origan séché écrasé
3½ tasses de riz long grain précuit

1 Préchauffez le four à 300°F.

2 Dans un four hollandais, mélanger les haricots, le jarret de porc, le chorizo, le bouillon, l'oignon, le céleri, la pâte de tomate, l'ail, le thym et l'origan. Couvrir, placer dans le four chauffé et faire cuire pendant 2 à 2½ heures.

3 Retirez le jarret de porc de la marmite. Retirez la viande de l'os et coupez-la en petits morceaux. Incorporer la viande au mélange de haricots, ajouter le riz et remettre au four. Faites cuire pendant 10 à 15 minutes, ou jusqu'à ce que le riz soit bien chaud.

CONSEIL DE STOCKAGE : *Des restes ? Gardez-les pour demain. Le porc doit être placé au réfrigérateur dans l'heure ou les deux heures suivant le service. Le porc cuit conservé dans la partie la plus froide du réfrigérateur restera frais pendant quatre à cinq jours. Les restes bien emballés peuvent être conservés au congélateur jusqu'à trois mois.*

RIBLETS DE CAJUN

POUR 6 PERSONNES ▪ TEMPS DE PRÉPARATION : 20 MINUTES ▪ TEMPS DE CUISSON : 1 À 1½ HEURE

Cette recette utilise des côtes de dos de longe (également connues sous le nom de côtes de bébé), une coupe tendre de porc que l'on trouve juste sous le gras dorsal du porc. Habituellement réservé aux barbecues, ce plat prouve qu'il n'est pas nécessaire d'avoir un gril pour faire des côtes - et qu'elles seront toujours aussi bonnes !

2 livres de côtes de dos de longe de porc
1 cuillère à soupe d'assaisonnement Cajun
1 tasse de sauce chili
1 oignon haché
1 cuillère à soupe de fécule de maïs
1 piment jalapeño, épépiné et finement haché
1 cuillère à soupe de jus de citron
1 à 2 cuillères à café de sauce pimentée

1 Préchauffez le four à 300°F.

2 Saupoudrer les côtes de porc avec l'assaisonnement cajun. Coupez-les en portions d'une seule côte, et placez-les dans le four hollandais.

3 Dans un bol moyen, mélanger la sauce chili, l'oignon, la fécule de maïs, le piment jalapeño, le jus de citron et la sauce pimentée. Versez le mélange sur les côtes.

4 Couvrez, placez dans le four préchauffé et faites cuire pendant 1 à 1½ heure.

CONSEILS SUR LES INGRÉDIENTS : *Le jalapeño, comme tous les piments, contient des huiles qui peuvent brûler la peau et les yeux ; évitez donc tout contact direct avec ces huiles lorsque vous cuisinez. Portez des gants en plastique ou en caoutchouc ou, si ce n'est pas possible, lavez-vous bien les mains avec du savon et de l'eau chaude immédiatement après l'avoir manipulé.*

FILET DE BŒUF

POUR 6 PERSONNES TEMPS DE PRÉPARATION : 15 MINUTES TEMPS DE CUISSON : 1½ HEURE

Ce plat de circonstance utilise le morceau de bœuf le plus tendre, le filet. Coupé dans la zone de la colonne vertébrale, sous les côtes et à côté de l'épine dorsale - près du derrière de la vache -, c'est une partie de la structure musculaire qui ne travaille pas beaucoup et qui donne donc la viande la plus tendre. Optez pour cette recette lorsque vous voulez mettre le paquet.

¾ de livre d'échalotes, pelées et coupées en deux dans le sens de la longueur
2 cuillères à soupe d'huile d'olive extra-vierge, divisée en deux parties
Sel
Poivre noir fraîchement moulu
3 tasses de bouillon de boeuf ou de bouillon
1½ cuillère à café de pâte de tomate
3 tranches de bacon, coupées en dés
1 filet de bœuf de 2 livres
1 cuillère à café de thym séché
2 cuillères à soupe de beurre ramolli
1 cuillère à soupe de farine tout usage

1 Préchauffer le four à 350°F.

2 Dans un four hollandais, mélangez les échalotes et 1 cuillère à soupe d'huile d'olive. Assaisonnez de sel et de poivre. Faites cuire dans le four chauffé pendant environ 30 minutes, ou jusqu'à ce que les échalotes soient dorées. Transférer dans un plat de service.

3 Porter le bouillon à ébullition dans le four hollandais à feu vif. Incorporer la pâte de tomate et transférer le mélange dans un bol.

4 Faites chauffer la cuillère à soupe d'huile d'olive restante dans la marmite à feu moyen, et faites cuire le bacon pendant 7 à 10 minutes, ou jusqu'à ce que le bacon soit bruni et croustillant. Transférer sur le plateau avec les échalotes.

5 Assaisonnez le filet avec le thym, le sel et le poivre. Ajoutez-le à la marmite et faites-le cuire à feu moyen jusqu'à ce qu'il soit bruni de tous les côtés, environ 7 minutes. Couvrez, mettez au four et faites cuire jusqu'à ce que le filet soit à point ou qu'un thermomètre interne indique 130-135°F, soit environ 25 minutes.

6 Transférez le filet sur un plateau. Écumez l'excès de graisse de la marmite et remettez-la sur la cuisinière. Remettez le mélange de bouillon dans la marmite et portez à ébullition, en raclant le fond et les parois de la marmite avec une cuillère en bois pour détacher les morceaux brunis. Réduisez le feu à faible intensité. Incorporer le beurre et la farine en fouettant, et faire cuire pendant 2 à 3 minutes, ou jusqu'à ce que la sauce épaississe. Remettre les échalotes et le bacon dans la casserole. Assaisonnez de sel et de poivre.

7 Couper le filet en tranches de ½ pouce d'épaisseur. Disposez-les sur un plat de service et nappez-les avec la sauce.

CONSEIL DE CUISINE : *Quelques brins de cresson constituent une jolie garniture pour ce plat riche. Ajoutez des pommes de terre et des asperges rôties en accompagnement pour compléter le festin culinaire.*

CÔTES COURTES BRAISÉES

POUR 6 À 8 PERSONNES ▪ TEMPS DE PRÉPARATION : 10 MINUTES ▪ TEMPS DE CUISSON : 4 À 4½ HEURES

L'un des meilleurs morceaux de viande pour une cuisson longue et lente, les côtes courtes de bœuf, si elles sont bien cuites, sont tendres à souhait et plaisent à tous. Si vous souhaitez accompagner la viande d'un féculent, optez pour le style italien et préparez des nouilles aux œufs ou une polenta crémeuse.

8 côtes courtes de bœuf
Sel
Poivre noir fraîchement moulu
Farine tout usage, pour saupoudrer
¼ tasse plus 2 cuillères à soupe d'huile végétale, divisées.
1 oignon, coupé en dés
2 grosses carottes, pelées et coupées en dés
1½ tasse de vin rouge
1 grande boîte de tomates broyées (28 onces)
1 feuille de laurier

1 Préchauffez le four à 300°F.

2 Saler et poivrer les côtes courtes, puis les enrober légèrement de farine.

3 Dans un four hollandais à feu moyen, faites chauffer ¼ de tasse d'huile végétale, et faites cuire les côtes de tous les côtés jusqu'à ce qu'elles soient uniformément dorées. Transférez les côtes sur un plateau.

4 Réduisez le feu à moyen-doux et ajoutez les 2 cuillères à soupe d'huile végétale restantes, l'oignon et les carottes dans la marmite. Faites cuire pendant 15 à 20 minutes, jusqu'à ce que les légumes soient uniformément dorés.

5 Remettez les bouts de côtes dans la marmite et ajoutez le vin. Augmentez le feu à moyen-vif. Ajoutez les tomates, une pincée de sel et la feuille de laurier, et portez le mélange à frémissement.

6 Couvrez, placez dans le four chauffé et faites cuire pendant 3 à 4 heures, ou jusqu'à ce que les côtes soient très tendres. Retirez la marmite du four et laissez-la refroidir légèrement.

7 Écumez la graisse claire qui est montée au sommet de la sauce, et jetez-la. Versez la sauce dégraissée sur les côtes, et servez.

CONSEIL DE CUISINE : *Si vous voulez être très chic, garnissez chaque assiette de gremolata, un condiment d'herbes hachées facile à faire et savoureux, composé de zeste de citron, d'ail haché et de persil haché. Il suffit de mélanger une cuillère à soupe de zeste de citron et d'ail avec deux cuillères à soupe de persil. Si vous n'avez pas de persil sous la main, la coriandre, la menthe ou la sauge s'y substitueront parfaitement.*

JARRETS D'AGNEAU AUX LÉGUMES

POUR 4 À 6 PERSONNES ▪ TEMPS DE PRÉPARATION : 10 MINUTES ▪ TEMPS DE CUISSON : 3 HEURES

Le four hollandais est idéal pour les plats à cuisson lente, comme ces jarrets d'agneau aux légumes. Braisé lentement, la viande sera incroyablement tendre. Servez avec des nouilles aux œufs beurrées, de la purée de pommes de terre ou de la polenta crémeuse.

4 j jets d'agneau
Sel
Poivre noir fraîchement moulu
2 cuillères à soupe d'huile d'olive extra-vierge
2 oignons hachés
2 carottes coupées en morceaux
2 panais, coupés en morceaux
1 boîte de tomates italiennes entières de 28 oz.
1 tasse de bouillon de poulet
1 tasse de bouillon de bœuf
1 boîte de pois chiches, égouttés et rincés
1 cuillère à café de thym séché
Persil, pour garnir

1 Assaisonnez les jarrets d'agneau avec du sel et du poivre.

2 Dans un four hollandais à feu moyen-élevé, faire chauffer l'huile d'olive. Faites dorer les jarrets, deux par deux, environ 2 minutes de chaque côté. Les retirer sur un plateau dès qu'ils ont fini de dorer.

3 Ajoutez les oignons, les carottes et les panais dans la marmite et faites-les sauter à feu moyen pendant 5 à 7 minutes, ou jusqu'à ce qu'ils soient légèrement dorés.

4 Augmenter le feu à moyen-élevé. Ajouter les tomates, le bouillon de poulet, le bouillon de bœuf, les pois chiches et le thym. Porter à ébullition.

5 Remettez les jarrets dans la marmite. Ramenez brièvement à ébullition, puis couvrez et réduisez le feu à doux. Laissez mijoter pendant environ 2½ heures, ou jusqu'à ce que la viande soit tendre.

6 Retirez le couvercle, augmentez le feu à moyen-élevé et faites cuire environ 10 minutes, ou jusqu'à ce que les jus épaississent. Garnir de persil frais et servir.

CONSEILS CONCERNANT LES INGRÉDIENTS : *Situés dans la partie inférieure du gigot, les jarrets d'agneau sont des morceaux de viande savoureux mais durs, ce qui les rend parfaits pour un braisage lent et doux dans une sauce aromatique. Cette cuisson d'une heure les transforme en une viande moelleuse et tendre à la fourchette. Le fait de les faire dorer d'abord dans l'huile d'olive leur donne une belle couleur et en rehausse le goût.*

PIE DU CHEF

POUR 6 PERSONNES TEMPS DE PRÉPARATION : 10 MINUTES TEMPS DE CUISSON : 1¼ À 1¾ HEURE

Vous allez adorer le côté pratique de ce favori des pubs anglais. Une tourte à la viande avec une croûte de purée de pommes de terre, elle est riche en protéines et appétissante. Nous avons utilisé de l'agneau haché (la recette traditionnelle), mais le bœuf haché convient tout aussi bien - veillez à utiliser du bouillon de bœuf plutôt que du poulet. Pour donner un coup de pouce supplémentaire à la croûte, saupoudrez-la de cheddar râpé avant de la faire dorer au four.

1 paquet (16 onces) de légumes mélangés congelés
2 livres d'agneau haché
1 tasse de bouillon de poulet ou de bœuf
1 cuillère à soupe de pâte de tomate
1 cuillère à soupe de sauce Worcestershire ou de sauce à steak A.1.
2 gousses d'ail, émincées
1 cuillère à café de thym séché écrasé
Sel
Poivre noir fraîchement moulu
1 paquet (32 onces) de pommes de terre en purée réfrigérées

1 Préchauffer le four à 325°F.

2 Placer les légumes congelés dans un four hollandais. Ajouter l'agneau haché, le bouillon, la pâte de tomate, la sauce Worcestershire, l'ail, le thym, le sel et le poivre. Remuer.

3 Couvrez, placez dans le four chauffé et faites cuire pendant 1 à 1½ heure.

4 Retirer la marmite du four et baisser la température à 350°F. Pendant que le four chauffe, déposez la purée de pommes de terre en petits monticules sur le mélange de viande. Lisser la surface avec le dos de la cuillère.

5 Remettez la marmite dans le four, à découvert, et faites cuire pendant 15 minutes, ou jusqu'à ce que les pommes de terre soient légèrement dorées.

CONSEIL NUTRITIONNEL : *Cette recette utilise des légumes mixtes surgelés et des pommes de terre en purée réfrigérées, ce qui la rend rapide et facile à préparer. Si vous souhaitez augmenter la valeur nutritive, utilisez plutôt des légumes frais.*

CURRY D'AGNEAU

POUR 6 PERSONNES ▪ TEMPS DE PRÉPARATION : 15 MINUTES ▪ TEMPS DE CUISSON : 1½ HEURE

Le curry est une option facile et épicée lorsqu'il s'agit de cuire lentement de l'agneau. Même les morceaux de viande les plus durs sont rendus juteux et succulents, grâce au long temps de cuisson. Servez sur un lit de riz, et votre famille sera pleinement satisfaite - et pleine de compliments !

2 cuillères à soupe d'huile d'olive extra-vierge
3 livres de viande d'agneau à ragoût, parée et coupée en cubes de 1 pouce
2 oignons, hachés
4 gousses d'ail, émincées
2 cuillères à soupe de poudre de curry
1 cuillère à café de coriandre moulue
1 cuillère à café de cumin moulu
Sel
Poivre noir fraîchement moulu
2 tasses de bouillon de poulet ou de bouillon

1 Dans un four hollandais à feu moyen-élevé, faire chauffer l'huile d'olive. En travaillant par lots, faire cuire les morceaux d'agneau jusqu'à ce qu'ils soient dorés de tous les côtés, puis les transférer sur un plateau.

2 Ajouter les oignons et l'ail dans la marmite et faire cuire jusqu'à ce qu'ils soient translucides. Réduisez le feu à moyen et ajoutez la poudre de curry, la coriandre, le cumin, le sel et le poivre. Faites cuire pendant environ 3 minutes, en remuant de temps en temps.

3 Remettez la viande dans la marmite, et versez le bouillon. Portez à ébullition, réduisez à un frémissement et faites cuire, à découvert, pendant environ 1¼ heure.

CONSEIL DE CUISINE : *Pour donner à ce plat un accent oriental plus prononcé, servez-le sur un lit de riz basmati. Garnir d'une cuillerée de yogourt nature et de coriandre fraîche hachée.*

RÔTI DE BŒUF AUX LÉGUMES RACINES

POUR 6 À 8 PERSONNES ▪ TEMPS DE PRÉPARATION : 20 MINUTES ▪ TEMPS DE CUISSON : ENVIRON 1½ HEURE

La côte de bœuf est considérée comme le roi des morceaux de bœuf. Magnifiquement marbré de graisse, ce rôti est riche, juteux et tendre. Il est également très facile à cuisiner. Servi avec des légumes-racines rôtis, il constitue le plat idéal pour les fêtes ou les occasions spéciales. N'ayez pas peur d'en faire plus, il est tout aussi bon le lendemain, tranché froid à la sortie du réfrigérateur. N'oubliez pas que plus le rôti est gros, plus il sera long à cuire.

6 gousses d'ail, émincées
2 cuillères à soupe de moutarde de Dijon à grains entiers
2 cuillères à soupe de sel de mer, plus une pincée, divisées
2 cuillères à soupe de poivre noir fraîchement moulu, plus une pincée, réparties en plusieurs parties
1 cuillère à soupe de thym séché
¼ tasse d'huile d'olive extra-vierge, plus 3 cuillères à soupe, divisées
1 rôti de côte de bœuf désossé de 1,5 kg (4 livres)
1½ livre de pommes de terre grelots ou nouvelles, coupées en deux
½ livre de betteraves, pelées et tranchées
½ livre de navets, pelés et tranchés
½ livre de panais, épluchés et coupés en tranches

1 Préchauffer le four à 325°F.

2 Dans un petit bol, combinez l'ail, la moutarde, 2 cuillères à soupe de sel, 2 cuillères à soupe de poivre, le thym et ¼ tasse d'huile d'olive pour créer une friction. Répartissez le rub uniformément sur la côte de bœuf, en la tapotant bien. Placez le rôti dans le four hollandais, côté gras vers le haut.

3 Dans un bol, mélangez les pommes de terre, les betteraves, les navets et les panais avec les 3 cuillères à soupe d'huile d'olive restantes, le sel et le poivre restants. Disposez les légumes autour de la côte de bœuf.

4 Couvrez la marmite, placez-la dans le four chauffé et faites-la rôtir pendant environ 20 minutes par livre pour un rôti à point, ou jusqu'à ce que la température interne atteigne 130°F. Si vous préférez un rôti moyen, sortez-le à 150°F. Laissez le rôti reposer pendant 20 minutes avant de le découper afin de conserver les jus de cuisson.

CONSEIL DE CUISSON : *Les rôtis doivent être proches de la température ambiante avant d'être enfournés, pour assurer une cuisson uniforme. Sortez le rôti du réfrigérateur au moins 30 minutes avant la cuisson.*

BOULETTES DE VIANDE FARCIES

POUR 6 À 8 PERSONNES TEMPS DE PRÉPARATION : 10 MINUTES TEMPS DE CUISSON : 6 HEURES

Les enfants vont adorer ces boulettes de viande d'inspiration grecque avec une surprise à l'intérieur : de la feta gluante. La combinaison de bœuf haché et d'agneau haché dans cette recette enrichit à la fois le goût et la texture. Ce repas est parfaitement complété par un accompagnement de féculents pour absorber les jus aromatiques. Servez avec des pâtes orzo, du riz, de la purée de pommes de terre ou un panier de pain fraîchement cuit au four pour un déjeuner ou un dîner délicieusement savoureux.

1 œuf, légèrement battu
½ tasse de chapelure assaisonnée
¼ tasse de persil frais haché
2 gousses d'ail, émincées
Sel
Poivre noir fraîchement moulu
½ livre de bœuf haché
½ livre d'agneau haché
3 onces de fromage feta, coupé en cubes de ½ pouce
1 boîte de sauce tomate (8 onces)

1 Préchauffer le four à 350°F.

2 Dans un grand bol, mélanger l'œuf, la chapelure, le persil et l'ail, et assaisonner de sel et de poivre. Ajouter le bœuf haché et l'agneau haché. Bien mélanger.

3 Pour faire les boulettes de viande, formez une boule avec une partie du mélange de viande autour d'un cube de fromage, en veillant à entourer complètement le fromage.

4 Placez les boulettes de viande dans un four néerlandais, couvrez et faites-les cuire dans le four chauffé pendant 20 minutes. Égouttez la graisse.

5 Versez la sauce tomate sur les boulettes de viande et mélangez-les délicatement pour les enrober. Remettez au four et faites cuire pendant 45 minutes à 1 heure.

CONSEIL DE CUISINE : *Pour augmenter la saveur de ce plat, préparez votre propre sauce tomate. Dans le faitout, faites chauffer 1 cuillère à soupe d'huile d'olive à feu moyen. Ajoutez un oignon haché et une gousse d'ail émincée, et faites cuire jusqu'à ce que l'oignon soit tendre. Incorporez une boîte de sauce tomate de 8 onces, ¼ de tasse de bouillon de bœuf ou de bouillon, et 1 cuillère à café d'origan séché écrasé. Faites chauffer.*

JARRETS D'AGNEAU BRAISÉ AU ROMARIN

POUR 6 À 8 PERSONNES TEMPS DE PRÉPARATION : 20 MINUTES TEMPS DE CUISSON : 3 À 3½ HEURES

Il est difficile de battre ce plat en termes de facilité de préparation, de succulence et d'attrait pour les soirées d'automne fraîches. Hormis un brunissement initial rapide, la cuisson est pratiquement sans surveillance. Pendant ce temps, votre cuisine s'animera d'arômes alléchants et vous serez libre de recevoir vos invités avec style. Servir à partir d'un four hollandais signifie que les aliments restent chauds et que le nettoyage est un jeu d'enfant.

6 jarrets d'agneau
Sel marin
Poivre noir fraîchement moulu
2 cuillères à soupe d'huile d'olive extra-vierge
2 oignons hachés
3 carottes coupées en morceaux
10 gousses d'ail, hachées
2 tasses de vin rouge
1 boîte de 28 onces de tomates entières
2 tasses de bouillon de poulet
1 tasse de bouillon de bœuf
1½ cuillère à soupe de romarin frais haché (ou 1 cuillère à café de romarin séché)
2 cuillères à café de thym frais haché (ou 1 cuillère à café de thym séché)

1 Préchauffer le four à 325°F.

2 Assaisonnez les jarrets d'agneau avec du sel et du poivre.

3 Dans un four hollandais à feu moyen-élevé, ajouter l'huile d'olive. Lorsque l'huile brille, ajoutez les jarrets et faites-les cuire jusqu'à ce qu'ils soient uniformément dorés, environ 2 minutes par côté. Transférer sur un plateau.

4 Remettez la marmite sur la cuisinière à feu moyen. Ajouter les oignons, les carottes et l'ail. Faites cuire pendant 5 à 7 minutes, ou jusqu'à ce que les oignons soient dorés. Augmentez la chaleur à un niveau élevé et incorporez le vin, en raclant le fond et les parois de la marmite avec une cuillère en bois pour détacher les morceaux brunis. Portez à ébullition et ajoutez les tomates, le bouillon de poulet, le bouillon de bœuf, le romarin et le thym. Remettre les jarrets dans la marmite et porter à ébullition.

5 Couvrez, placez dans le four préchauffé et chauffé, et faites cuire pendant environ 2½ heures, ou jusqu'à ce que la viande soit tendre.

6 Remettez la casserole sur la cuisinière, retirez le couvercle et faites cuire pendant 30 à 40 minutes à feu moyen-élevé, ou jusqu'à ce que la sauce épaississe.

MAINS SANS VIANDE

RISOTTO À LA COURGE MUSQUÉE

POUR 8 PERSONNES TEMPS DE PRÉPARATION : 10 MINUTES TEMPS DE CUISSON : 60 MINUTES

Le risotto exige de remuer beaucoup, mais l'effort en vaut la peine. Le brassage constant et l'ajout de liquide en petites quantités libèrent l'amidon du riz arborio spécial, rendant le risotto crémeux et délicieux.

5 cuillères à soupe d'huile d'olive, divisées
½ courge musquée, pelée, épépinée et coupée en morceaux de ¼ de pouce
1 cuillère à café de sel marin, divisée
½ cuillère à café de poivre noir fraîchement concassé, divisée.
1 oignon, coupé en dés
1½ tasse de riz arborio
½ tasse de vin blanc sec
5½ tasses de bouillon de poulet
2 cuillères à soupe de crème épaisse
1 tasse de fromage parmesan, râpé, plus pour le service
2 cuillères à soupe de basilic, coupé en chiffonnade

1 Dans un grand four hollandais à feu moyen-élevé, mettez 3 cuillères à soupe d'huile d'olive.

2 Lorsque l'huile est chatoyante, ajoutez la courge. Assaisonnez-la avec ½ cuillère à café de sel et ¼ de cuillère à café de poivre.

3 Faites cuire la courge, en remuant de temps en temps, pendant 6 à 8 minutes, jusqu'à ce qu'elle soit tendre et commence à brunir.

4 Retirez la courge de la marmite et mettez-la de côté sur une assiette.

5 Ajoutez les 2 cuillères à soupe d'huile d'olive restantes dans la marmite, et faites-la chauffer jusqu'à ce qu'elle brille.

6 Ajouter l'oignon et faire cuire, en remuant fréquemment, jusqu'à ce que l'oignon soit tendre, environ 5 minutes.

7 Ajouter le riz et faire cuire, en remuant constamment, pendant 1 minute.

8 Ajoutez le vin blanc et faites cuire en remuant constamment, en raclant tous les morceaux brunis au fond de la marmite avec une cuillère en bois. Continuez à cuire et à remuer jusqu'à ce que le liquide soit absorbé.

9 Commencez à ajouter le bouillon dans la marmite, une louche à la fois, en remuant constamment. N'ajoutez la louche suivante que lorsque le liquide a été absorbé par l'ajout précédent. Continuez à travailler de cette façon, en remuant constamment, jusqu'à ce que tout le bouillon ait été absorbé.

10 Réduisez le feu à un niveau moyen-doux. Incorporez la crème épaisse, le parmesan, ainsi que les ½ cuillères à café de sel et ¼ de cuillère à café de poivre restantes.

11 Incorporer la courge musquée réservée. Faites cuire, en remuant fréquemment, pendant 3 à 4 minutes jusqu'à ce que la courge soit bien chaude.

12 Servir garni de basilic haché et de parmesan.

CONSEIL DE PRÉPARATION : *Pour couper le basilic en chiffonnade, disposez plusieurs feuilles de basilic en pile. Roulez la pile de feuilles en croix, puis coupez le rouleau en fines lamelles.*

RISOTTO AUX CHAMPIGNONS

POUR 6 PERSONNES TEMPS DE PRÉPARATION : 15 MINUTES TEMPS DE CUISSON : 30 MINUTES

Le risotto est originaire du nord de l'Italie, où il est généralement servi en entrée (souvent dans le cadre d'un repas à six plats !). Cette recette, agrémentée d'un mélange de champignons exotiques, crée un plat principal à part entière, qui met l'eau à la bouche.

5 cuillères à soupe de beurre non salé
3 tasses de champignons frais assortis (tels que champignons de Paris, cremini, portobello ou huître)
4 échalotes, finement hachées
2 gousses d'ail, émincées
2½ tasses de riz arborio
1 tasse de vin blanc sec
Sel
Poivre noir fraîchement moulu
8 tasses de bouillon de légumes ou de bouillon
1 tasse de petits pois surgelés, décongelés
½ tasse de fromage Asiago râpé, pour la garniture
½ tasse de persil frais haché, pour la garniture

1 Dans un four hollandais, faire chauffer le beurre à feu moyen-doux jusqu'à ce qu'il soit fondu. Ajouter les champignons, les échalotes et l'ail. Faire cuire pendant 5 à 7 minutes, ou jusqu'à ce que les champignons soient légèrement dorés, en remuant de temps en temps.

2 Ajoutez le riz dans la marmite et remuez jusqu'à ce que tous les grains soient enrobés de beurre et que le riz change légèrement de couleur, environ 2 minutes. Incorporer le vin et assaisonner de sel et de poivre.

3 Commencez à ajouter le bouillon dans la marmite, une louche à la fois, en remuant constamment. N'ajoutez une autre louche de bouillon que lorsque la louche précédente a été absorbée.

4 Poursuivez la cuisson en ajoutant du bouillon jusqu'à ce que le riz soit crémeux. Incorporer les petits pois.

5 Servez, en passant le fromage et le persil pour la garniture.

CONSEIL D'INGREDIENTS : *L'Arborio est le type de riz le plus courant pour obtenir un authentique risotto. Il s'agit d'une variété de riz à grain court, particulièrement court et dodu. Comme il contient beaucoup d'amidon, il crée une texture crémeuse à la cuisson. Vous saurez que le risotto est prêt lorsque vous pourrez aplatir un grain de riz entre vos doigts.*

GÂTEAU DE PÂTES À LA PUTTANESCA

POUR 6 PERSONNES TEMPS DE PRÉPARATION : 20 MINUTES TEMPS DE CUISSON : 25 MINUTES

La saveur épicée de la puttanesca (tomates, olives et ail) rencontre la texture fondante du gratin dans ce plat de pâtes qui plaît à tous. Avec juste ce qu'il faut de piquant grâce à la poudre de cayenne et de salé grâce aux olives Kalamata, ces pâtes combinent les meilleures saveurs méditerranéennes dans un plat fondant, le tout en moins de 30 minutes.

12 onces de pâtes penne (ou toute autre forme de pâtes creuses)
1 cuillère à soupe d'huile d'olive extra-vierge
3 gousses d'ail, émincées
½ cuillère à café de poudre de cayenne
1 boîte de 14 onces de tomates en dés
⅓ tasse d'olives Kalamata dénoyautées et hachées (ou toute autre olive noire séchée)
2 cuillères à soupe de persil frais haché
2 cuillères à soupe de feuilles de basilic frais hachées
Sel
Poivre noir fraîchement moulu
1 tasse de mozzarella râpée, divisée.
¼ tasse de fromage parmesan râpé

1 Préchauffer le four à 375°F.

2 Dans un four hollandais à feu moyen-élevé, porter de l'eau salée à ébullition. Ajouter les pâtes et les faire cuire selon les instructions de l'emballage jusqu'à ce qu'elles soient à peine al dente. Égoutter les pâtes dans une passoire et les rincer rapidement à l'eau froide pour arrêter la cuisson et enlever l'excès d'amidon. Mettez les pâtes rincées de côté.

3 Faire chauffer l'huile d'olive dans le four hollandais à feu moyen-doux. Ajouter l'ail et la poudre de cayenne, et faire sauter pendant environ 30 secondes. Ajouter les tomates et réduire le feu à doux. Laisser mijoter, en remuant de temps en temps, pendant 5 à 10 minutes, ou jusqu'à ce que la sauce ait légèrement épaissi. Ajouter les olives, le persil et les feuilles de basilic. Assaisonner de sel et de poivre.

4 Incorporer les pâtes et environ ¾ de tasse de mozzarella. Recouvrez avec le ¼ de tasse de mozzarella restant et le parmesan. Couvrez, placez dans le four chauffé, et faites cuire pendant 15 minutes, ou jusqu'à ce que le fromage fonde et fasse des bulles.

CONSEIL DE SUBSTITUTION : *Si vous voulez augmenter les protéines et diminuer les produits laitiers, remplacez la mozzarella par du tofu fumé. Vous pouvez également saupoudrer du fromage non laitier râpé sur le dessus à la place du parmesan-Daiya qui fond aussi bien que le vrai fromage.*

SAUTÉ DE LÉGUMES

POUR 4 À 6 PERSONNES TEMPS DE PRÉPARATION : 20 MINUTES TEMPS DE CUISSON : 20 MINUTES

Ce sauté est un excellent moyen de donner aux légumes un coup de pouce délectable, grâce à l'ajout de gingembre, de jus de citron vert et d'ail. Servez sur du riz brun pour un repas protéiné en milieu de semaine, et saupoudrez de graines de sésame pour ajouter un croquant savoureux.

⅓ tasse d'huile d'olive extra-vierge
⅓ tasse de sauce soja
Le jus d'une lime
3 gousses d'ail, émincées
2 cuillères à café de gingembre fraîchement râpé
3 carottes, pelées et hachées
2 tasses de fleurons de brocoli
1 poivron rouge, coupé en tranches
1 poivron orange, coupé en tranches
1 poivron jaune, coupé en tranches
1 oignon rouge, coupé en tranches
6 onces de champignons
1 tasse de pois mange-tout frais ou congelés

1 Dans un grand bol, combinez l'huile d'olive, la sauce soja, le jus de citron vert, l'ail et le gingembre.

2 Ajoutez les carottes, le brocoli, les poivrons, l'oignon, les champignons et les pois mange-tout, et mélangez-les jusqu'à ce qu'ils soient enrobés du mélange d'huile.

3 Chauffer le four hollandais à feu moyen. Ajouter le mélange de légumes et faire cuire pendant 20 minutes, ou jusqu'à ce que les légumes soient tendres.

ŒUFS PIPÉRADE

POUR 4 À 6 PERSONNES ▪ TEMPS DE PRÉPARATION : 15 MINUTES ▪ TEMPS DE CUISSON : 30 MINUTES

Les œufs pipérade sont un plat célèbre originaire de la région basque française. Il s'agit d'un ragoût simple à base de poivrons, de tomates et d'oignons, auquel on ajoute des œufs à la fin pour lui donner la consistance d'une frittata. Pour une touche de gourmandise, remplacez 2 cuillères à soupe d'huile d'olive par du lard, du canard ou du poulet. Garnissez le tout de quelques feuilles de basilic frais râpées.

4 cuillères à soupe d'huile d'olive extra-vierge
2 oignons, épluchés et coupés en tranches
5 poivrons rouges, épépinés et coupés en tranches
5 tomates fraîches, pelées, épépinées et coupées en morceaux
2 gousses d'ail, émincées
1 cuillère à soupe de feuilles de basilic frais hachées (ou 1 cuillère à café de basilic séché)
Sel
Poivre noir fraîchement moulu
8 œufs

1 Dans un four hollandais à feu moyen-élevé, faites chauffer l'huile d'olive. Réduire le feu à faible intensité, et faire sauter les oignons jusqu'à ce qu'ils soient dorés. Ajouter les poivrons et les faire sauter jusqu'à ce qu'ils soient ramollis. Ajouter les tomates, l'ail et le basilic, et assaisonner de sel et de poivre. Faites cuire jusqu'à ce que les tomates se désintègrent et que le mélange prenne la consistance d'une purée.

2 Dans un bol moyen, battez les œufs avec du sel et du poivre. Verser les œufs sur les légumes. Faites cuire pendant 3 à 5 minutes, jusqu'à ce que les œufs soient pris, en remuant de temps en temps pour obtenir une consistance brouillée. Retirez la casserole du feu pendant que les œufs sont encore humides et légèrement sous-cuits. La chaleur résiduelle finira de les cuire.

CONSEIL DE CUISSON : *La cuisson des poivrons avec la peau permet d'obtenir un plat plus croquant. Cependant, certains préfèrent les peler. Le plus simple est d'utiliser un épluche-légumes bien aiguisé et de scier la peau pour l'enlever. Essayez la même méthode pour les tomates, ou plongez-les dans l'eau bouillante pendant quelques secondes, et utilisez un couteau aiguisé pour retirer facilement la peau.*

PAUSE DE LÉGUMES

POUR 6 PERSONNES ▪ TEMPS DE PRÉPARATION : 20 MINUTES ▪ TEMPS DE CUISSON : 1 HEURE

Le printemps est le temps des nouveaux départs. Et juste à temps, non seulement les jours rallongent et les températures augmentent, mais de nouveaux légumes printaniers font leur apparition pour émoustiller les papilles et chasser les dernières déprimes de l'hiver. Bien que vous puissiez déguster n'importe quel légume tout au long de l'année grâce aux congélateurs et aux boîtes de conserve, rien ne vaut la fraîcheur du jardin pour ce plat.

1 livre de pommes de terre rouges, coupées en deux
½ livre de carottes, tranchées
½ livre de betteraves, coupées en tranches
1 échalote, pelée et tranchée
10 gousses d'ail, épluchées et tranchées
¼ tasse de vinaigre balsamique
2 cuillères à soupe d'huile d'olive extra-vierge
½ tasse de bouillon de légumes ou de bouillon
Sel
Poivre noir fraîchement moulu
½ tasse de feuilles de basilic frais hachées, réparties en plusieurs parties
1 tasse de petits pois surgelés

1 Préchauffez le four à 400°F.

2 Dans un four hollandais, mélanger les pommes de terre, les carottes, les betteraves, l'échalote et l'ail. Ajouter le vinaigre, l'huile d'olive et le bouillon. Assaisonnez de sel et de poivre, et parsemez de ¼ de tasse de basilic. Remuer pour combiner le tout.

3 Couvrir, mettre au four préchauffé et faire cuire de 50 minutes à 1 heure, ou jusqu'à ce que les pommes de terre et les carottes soient légèrement dorées. Après environ 45 minutes, ajoutez les petits pois.

4 Retirez du four, et assaisonnez avec plus de sel et de poivre, si désiré. Incorporez le ¼ de tasse de basilic restant, et servez dans le four hollandais.

CONSEIL DE CONSERVATION : *Pour prolonger la durée de vie de vos légumes frais de printemps, conservez les carottes, les betteraves et les herbes (comme le basilic) dans un sac en plastique non scellé ou dans une serviette en papier dans le tiroir à légumes de votre réfrigérateur. Les pommes de terre, les échalotes et l'ail doivent être conservés dans un garde-manger frais et sombre.*

TARTE AU FROMAGE MÉDITERRANÉENNE

POUR 6 À 8 PERSONNES ■ TEMPS DE PRÉPARATION : 40 MINUTES ■ TEMPS DE CUISSON : 30 MINUTES

L'utilisation d'un four hollandais pour la cuisson d'une tarte peut ne pas sembler être un mariage parfait sur le plan culinaire, mais la qualité supérieure de la cuisson en fonte, combinée à la forme circulaire, fonctionne étonnamment bien. N'hésitez pas à remplacer les restes de légumes que vous avez sous la main.

8 onces de pâte à tarte congelée, décongelée
3 onces de poivrons rouges rôtis dans l'huile, égouttés et coupés en dés
6 onces de coeurs d'artichauts en conserve, égouttés et coupés en quartiers
1 once de tomates séchées au soleil dans l'huile, égouttées et hachées
½ cuillère à café de sauge séchée
½ cuillère à café d'origan séché
Sel
Poivre noir fraîchement moulu
3 œufs
½ tasse de lait faible en gras
4 onces de fromage feta, émietté

1 Préchauffer le four à 350°F.

2 Étalez la pâte à tarte de manière à recouvrir le fond et les côtés de la casserole. Pressez-la dans la casserole et mettez-la au réfrigérateur pendant 30 minutes.

3 Dans un bol, mélangez les poivrons rouges, les coeurs d'artichauts, les tomates séchées au soleil, la sauge et l'origan. Assaisonnez de sel et de poivre. Transférer dans la casserole recouverte de pâte. Dans le même bol, battre ensemble les œufs, le lait et le fromage. Verser le mélange d'œufs sur la garniture.

4 Couvrir, placer dans le four préchauffé et faire cuire pendant 15 minutes. Retirez et découvrez. Réduisez la température à 300°F, remettez la marmite au four et poursuivez la cuisson pendant 10 à 15 minutes, ou jusqu'à ce que la garniture soit prise et que le dessus soit doré.

CONSEIL DE CUISSON : *Laissez la casserole refroidir pendant 10 à 15 minutes après l'avoir sortie du four. Utilisez une spatule en plastique pour sortir délicatement la tarte de la casserole et la faire glisser sur une assiette chaude. Servez immédiatement.*

SALADE DE FARRO CHAUDE

POUR 4 À 6 PERSONNES TEMPS DE PRÉPARATION : 10 MINUTES TEMPS DE CUISSON : 15 MINUTES

Le farro est l'une des plus anciennes formes de blé. Il remonte aux temps bibliques et est encore largement utilisé en Europe. Il ressemble à une version plus ronde de l'orge et peut être utilisé dans les ragoûts, en remplacement du riz ou dans les salades, comme celle-ci. Des tomates, des épinards et de la feta complètent ce mélange méditerranéen.

1½ tasse de farro
1 contenant (10 à 12 onces) de tomates raisins, coupées en deux
½ oignon rouge, haché
2 tasses de bébés épinards
½ tasse d'huile d'olive extra-vierge
¼ tasse de vinaigre de vin blanc
Sel
Poivre noir fraîchement moulu
6 onces de feta, émiettée
6 cuillères à soupe de feuilles de basilic frais hachées

1 Portez 5 tasses d'eau à ébullition dans un four hollandais, ajoutez le farro et faites cuire pendant 10 à 15 minutes, ou jusqu'à ce qu'il soit tendre. Égoutter l'eau, en laissant le farro dans la marmite.

2 Pendant que la marmite est encore chaude, ajoutez les tomates, l'oignon et les épinards dans la marmite, en remuant pour faire flétrir les feuilles d'épinards.

3 Dans un petit bol, fouetter ensemble l'huile d'olive et le vinaigre. Saler et poivrer, puis ajouter à la salade de farro, ainsi que la feta et le basilic. Mélangez le tout jusqu'à ce que tous les ingrédients soient uniformément enrobés.

CONSEIL DE CUISINE : *Ce plat peut être servi chaud ou froid. La beauté du four hollandais est qu'il est capable de conserver l'une ou l'autre température pendant le service. De plus, il constitue un magnifique centre de table.*

PÂTES AUX CHAMPIGNONS SAUVAGES

POUR 4 À 6 PERSONNES ▪ TEMPS DE PRÉPARATION : 20 MINUTES ▪ TEMPS DE CUISSON : 1 HEURE

Cette casserole crémeuse réchauffera les cœurs et remplira les ventres par une froide veille d'automne. Une croûte de parmesan, de thym et de chapelure ajoute une texture délicieusement croustillante et un goût savoureux. Pour une dose de saveur supplémentaire, ajoutez deux cuillères à soupe de sherry aux champignons et aux oignons pendant qu'ils sont sautés.

4 cuillères à soupe de beurre, divisées
1 oignon, haché
1 livre de champignons sauvages, hachés
3 cuillères à soupe de thym frais haché, divisées
Sel
Poivre noir fraîchement moulu
1 cuillère à soupe de farine
1 tasse de lait entier
½ tasse de crème épaisse
12 onces de fromage gruyère râpé
4 tasses de pâtes penne, cuites al dente
2 tasses de bébés épinards, déchirés en petites bouchées
1¼ tasse de chapelure
3 cuillères à soupe de fromage parmesan râpé

1 Préchauffer le four à 325°F.

2 Dans un four hollandais à température moyenne, faire fondre 2 cuillères à soupe de beurre. Ajouter l'oignon et les champignons, et faire cuire jusqu'à ce que les champignons soient tout juste tendres, pendant 4 à 5 minutes. Ajouter 2 cuillères à soupe de thym et assaisonner de sel et de poivre. Transférer dans un grand bol.

3 Dans le four hollandais, faire fondre les 2 cuillères à soupe de beurre restantes. Ajouter la farine en fouettant et faire cuire pendant environ 1 minute. Ajouter progressivement le lait et la crème, et faire cuire jusqu'à ce que le lait commence à épaissir, en fouettant continuellement. Retirez la casserole du feu. Incorporer le gruyère jusqu'à ce qu'il fonde.

4 Ajouter les pâtes cuites et les épinards au mélange de champignons. Remuer. Remettre le mélange de champignons dans le four hollandais et l'incorporer à la sauce au fromage.

5 Couvrez, placez dans le four chauffé et faites cuire pendant 20 minutes.

6 Dans un petit bol, mélangez la chapelure, la cuillère à soupe de thym restante et le parmesan.

7 Retirer les pâtes du four, et saupoudrer le mélange de chapelure sur le dessus. Augmenter la température du four à 375°F, et faire cuire pendant 15 à 20 minutes, à découvert, jusqu'à ce que la croûte soit dorée.

CONSEIL NUTRITIONNEL : *Du shiitake à la chanterelle, de la morille au maitake, du reishi au porcini, chaque espèce de champignon sauvage a une saveur unique. Mais ils ont un point commun : une valeur médicinale extraordinairement élevée. Les composés contenus dans le maitake, par exemple, ont la capacité non seulement de stimuler la fonction immunitaire, mais aussi d'inhiber la croissance des tumeurs. C'est pourquoi les herboristes chinois utilisent les champignons pour des remèdes et des cures depuis plus de trois mille ans.*

PIZZA RUSTIQUE

POUR 4 À 6 PERSONNES ▪ TEMPS DE PRÉPARATION : 10 MINUTES ▪ TEMPS DE CUISSON : 20 À 30 MINUTES

Cette recette de pizza traditionnelle est incroyablement facile, rapide et savoureuse. Toute la famille en redemandera ! Et le meilleur, c'est qu'avec deux ingrédients super frais, elle est incroyablement propre et saine.

1 boîte (14 oz) de pâte à pizza réfrigérée
Huile d'olive extra-vierge, pour le graissage
2 tomates prunes, équeutées, coupées en tranches de ¼ pouce et salées
4 onces de fromage mozzarella râpé
½ tasse de feuilles de basilic frais hachées, pour la garniture

1 Préchauffer le four à 375°F.

2 Abaisser la pâte à pizza et la couper pour tapisser la base d'un four hollandais. Envelopper et congeler le surplus de pâte.

3 Badigeonnez le fond de la marmite d'huile d'olive. Placez la croûte dans la marmite.

4 Répartir les tomates tranchées sur la pâte, en laissant un rebord de 1 pouce sur le bord. Couvrir avec le fromage. Badigeonner légèrement le bord de la croûte d'huile d'olive, pour une finition croustillante.

5 Placez le pot dans le four préchauffé, et faites cuire pendant 20 à 30 minutes, ou jusqu'à ce que la pâte soit cuite et que le fromage soit fondu.

6 Transférez la pizza sur une planche à découper et garnissez-la de basilic.

CONSEIL DE CUISSON : *Si vous préférez votre pizza avec un peu plus de sauce, réduisez en purée une grande boîte (28 onces) de tomates pelées entières. Ajoutez un oignon coupé en dés et sauté, et portez à ébullition. Ajoutez une cuillère à soupe d'origan séché et assaisonnez de sel et de poivre. Déposer la préparation sur la pâte à pizza et recouvrir de mozzarella, comme dans la recette ci-dessus.*

LASAGNES AU CHOU FRISÉ ET À LA COURGE

POUR 4 À 6 PERSONNES · TEMPS DE PRÉPARATION : 20 MINUTES · TEMPS DE CUISSON : 30 MINUTES

Cette lasagne "variété du jardin" ne sacrifie rien de la décadence, de la richesse ou du goût de la recette classique à base de viande, tout en restant entièrement compatible avec les régimes végétariens. Le chou frisé est riche en protéines, en fibres et en vitamines A, C et K, tandis que la courge musquée est une source fantastique d'oméga-3 et de bêta-carotène, qui renforcent le système immunitaire.

3 tasses de courge butternut en dés
4 tasses de chou frisé haché
2 oignons jaunes, coupés en dés
4 cuillères à soupe d'huile d'olive extra-vierge, divisée en deux parties
Sel
Poivre noir fraîchement moulu
30 onces de fromage ricotta
2 œufs
1 cuillère à soupe de thym frais haché (ou ½ cuillère à soupe de thym séché)
2 paquets (16 onces) de lasagnes de blé entier, cuites selon le mode d'emploi.
2 tasses de fromage mozzarella râpé

1 Préchauffez le four à 400°F.

2 Dans un four hollandais, mélanger la courge musquée, le chou frisé et les oignons. Mélanger avec 3 cuillères à soupe d'huile d'olive, et assaisonner de sel et de poivre. Couvrir, placer dans le four préchauffé et faire rôtir pendant 10 à 20 minutes, ou jusqu'à ce que la courge soit tendre. Transférer la courge dans un plat de service.

3 Dans un bol moyen, mélanger le fromage ricotta, les œufs et le thym.

4 Badigeonnez le four hollandais avec la cuillère à soupe d'huile d'olive restante. Tapissez le fond d'une couche de nouilles à lasagnes. Ajouter ¼ de la ricotta et ¼ du mélange de courges, puis ⅕ de la mozzarella. Répétez 4 fois, en garnissant la dernière couche de nouilles à lasagne avec le reste de la mozzarella. Remettez le pot au four et faites cuire pendant 10 à 15 minutes, ou jusqu'à ce que le fromage soit doré et bouillonnant.

CONSEIL DE SUBSTITUTION : *Certains palais n'aiment pas la ricotta, ou son substitut courant, le fromage cottage. Envisagez d'utiliser des substituts plus imaginatifs, comme le fromage de chèvre, le tofu soyeux ou la purée de chou-fleur.*

CASSEROLE DE POLENTA AUX LÉGUMES

POUR 6 À 8 PERSONNES ▪ TEMPS DE PRÉPARATION : 20 MINUTES ▪ TEMPS DE CUISSON : 1 À 1½ HEURE

La polenta est de plus en plus populaire et pour une bonne raison. La farine de maïs est riche en fibres et ne contient pas de gluten. Préparée sous forme de polenta, elle est extrêmement polyvalente et copieuse. Pour le dîner, servez-la en remplacement de la purée de pommes de terre, ou utilisez-la comme base sur laquelle vous pouvez verser un certain nombre de sauces savoureuses. Dans cette recette, elle est la base d'une casserole de haricots fondante et savoureuse.

2 boîtes de 19 oz de haricots blancs, rincés et égouttés
1 boîte de 19 onces de haricots garbanzo, rincés et égouttés.
1 tasse d'oignon haché
4 gousses d'ail, émincées
1 cuillère à café de thym séché écrasé
1 cuillère à café d'origan sec écrasé
1 tube de polenta cuite réfrigérée (16 onces), coupée en tranches de ½ pouce.
2 tasses de fromages italiens assortis râpés (Provolone, mozzarella, parmesan, romano, fontina ou asiago, au choix)
1 grosse tomate, tranchée
2 tasses de feuilles d'épinards frais

1 Préchauffer le four à 325°F.

2 Dans un grand bol, mélanger les haricots rouges, les haricots azymes, l'oignon, l'ail, le thym et l'origan.

3 Dans le four hollandais, étaler la moitié du mélange de haricots, la moitié de la polenta et la moitié des fromages. Ajouter le reste du mélange de haricots et le reste de la polenta.

4 Couvrez, placez dans le four préchauffé et faites cuire pendant 1 à 1½ heure.

5 Retirez la marmite du four. Découvrir et saupoudrer les fromages restants sur le dessus. Ajoutez la tomate et les épinards, mélangez légèrement et servez.

CONSEILS SUR LES INGRÉDIENTS : *La polenta est un type de farine de maïs que l'on trouve dans la plupart des épiceries. Elle est généralement vendue sous sa forme sèche, bien que vous puissiez l'acheter déjà cuite, ce que nous avons utilisé ici. Veillez à conserver la polenta précuite dans un endroit frais et sec. Si vous achetez plutôt de la polenta sèche, conservez-la au réfrigérateur une fois qu'elle a été cuite. Si vous ne trouvez pas de polenta, de la farine de maïs jaune ordinaire ou des grits s'y substitueront parfaitement.*

CASSEROLE DE HARICOTS VERTS

POUR 6 À 8 PERSONNES ▪ TEMPS DE PRÉPARATION : 20 MINUTES ▪ TEMPS DE CUISSON : 1 À 1¼ HEURE

Le fromage Gouda fumé et les poivrons rouges rôtis ajoutent un délicieux goût fumé à cette casserole de haricots verts, tandis que les oignons frits ajoutent une touche salée et croquante. Avec un minimum de travail de préparation et un temps de cuisson pratiquement sans surveillance, c'est un plat facile à préparer pour un repas de milieu de semaine riche en nutriments et en saveurs.

1 livre de haricots verts frais ou congelés
1 cuillère à soupe d'huile d'olive extra vierge
4 tasses de champignons tranchés
3 gousses d'ail, émincées
1 boîte (15 onces) de crème de champignons condensée
1 tasse de fromage fumé râpé
Gouda fumé
¼ tasse de lait
½ cuillère à soupe de moutarde à grains entiers
1 tasse de lanières de poivrons rouges rôtis
1 boîte d'oignons frits de 10 onces
Sel
Poivre noir fraîchement moulu

1 Préchauffer le four à 325°F.

2 Dans un four hollandais, faites cuire les haricots verts dans de l'eau bouillante salée pendant 3 minutes. Égouttez-les et mettez-les dans un bol.

3 Faites chauffer l'huile d'olive dans le faitout à feu moyen, et faites cuire les champignons et l'ail jusqu'à ce qu'ils commencent à dorer. Incorporer la soupe, le fromage, le lait et la moutarde. Remettre les haricots dans la marmite. Ajouter les poivrons grillés et les oignons frits. Saler et poivrer, puis mélanger tous les ingrédients.

4 Couvrez, placez dans le four chauffé et faites cuire pendant 1 à 1¼ heure.

CONSEIL D'INGREDIENTS : *Non seulement les haricots verts sont bons pour la santé, mais vous pouvez également savourer ce plat en sachant que vous soutenez la durabilité alimentaire dans votre propre jardin. Bien que des pays comme la France, le Mexique et l'Argentine soient de grands producteurs de haricots verts, 60 % de tous les haricots verts cultivés commercialement sont produits aux États-Unis. Une raison de plus d'apprécier ce délicieux légume.*

FONDUE AU FROMAGE

POUR 6 À 8 PERSONNES ▪ TEMPS DE PRÉPARATION : 15 MINUTES ▪ TEMPS DE CUISSON : 1¼ À 1¾ HEURE

Considérée comme le plat national de la Suisse, la fondue consiste en un fromage fondu servi dans un caquelon commun sur une petite flamme, qui garde le mélange de fondue suffisamment chaud pour rester lisse et liquide. Le four hollandais, avec sa capacité inimitable à retenir la chaleur, est le récipient de service idéal. C'est un véritable succès à table ou lors d'un cocktail.

3 tasses de bouillon de légumes ou de bouillon
3 tasses de crème à fouetter
1 tasse de vin blanc sec
3 gousses d'ail, émincées
½ tasse de beurre ramolli
½ tasse de farine tout usage
1 cuillère à soupe de moutarde de Dijon
16 onces de fromage Gruyère râpé
8 onces de fromage Emmentaler râpé

1 Préchauffer le four à 325°F.

2 Dans un four hollandais, mélanger le bouillon, la crème, le vin et l'ail. Couvrir, placer dans le four chauffé et faire cuire pendant 1 à 1½ heure.

3 Dans un bol moyen, mélanger le beurre et la farine, jusqu'à ce que le mélange forme une pâte. Incorporez-la au mélange de bouillon en fouettant jusqu'à ce qu'elle soit complètement incorporée. Couvrez la casserole, remettez-la au four et laissez cuire pendant 5 à 10 minutes, ou jusqu'à ce que le mélange commence à épaissir.

4 Incorporer la moutarde au mélange de bouillon. Incorporer progressivement le Gruyère et l'Emmentaler, jusqu'à ce que le fromage fonde et que la fondue devienne lisse. Servez avec les sauces de votre choix.

CONSEIL DE CUISINE : *Soyez créatif avec vos trempettes. Le choix classique est celui des cubes de pain français. Pour une touche vitaminée, essayez des bouquets de brocoli ou de chou-fleur cuits à la vapeur, des morceaux de panais rôtis, des pommes de terre fingerling bouillies ou des tranches de pomme.*

CASSEROLE DE COURGE

POUR 6 PERSONNES TEMPS DE PRÉPARATION : 30 MINUTES TEMPS DE CUISSON : 2 À 2½ HEURES

La courge d'hiver arrive tard dans la saison de croissance et a une longue durée de conservation, ce qui en fait un aliment de base en hiver et au printemps, lorsque de nombreux autres légumes sont plus difficiles à trouver. Contrairement à son homologue d'été, la courge d'hiver doit être cuite. Cette variété riche en fibres est tout aussi délicieuse cuite au four qu'à la vapeur. Et, grâce à sa texture dense et crémeuse, elle constitue une base nourrissante et réconfortante pour cette casserole épicée qui fait battre le cœur.

1½ tasse de courge butternut pelée et hachée
1½ tasse de courge poivrée pelée et hachée
1 boîte de hominy (15 onces), rincée et égouttée
1 boîte de haricots noirs (15 onces), rincés et égouttés
2 oignons, hachés
2 poivrons rouges, hachés
1 boîte de 4 oz de piments verts en dés
1 tasse de sauce tomate
½ tasse de salsa
4 gousses d'ail, émincées
Sel
Poivre noir fraîchement moulu
½ tasse de fromage Monterey Jack râpé
Coriandre fraîche hachée, pour la garniture

1 Préchauffer le four à 325°F.

2 Dans un four hollandais, mélanger la courge musquée, la courge poivrée, l'hominy, les haricots noirs, les oignons, les poivrons rouges, les piments, la sauce tomate, la salsa et l'ail. Assaisonner de sel et de poivre.

3 Couvrez, placez dans le four préchauffé et faites cuire pendant 2 à 2½ heures.

4 Saupoudrer le fromage sur le dessus, garnir de coriandre et servir.

CONSEILS NUTRITIONNELS : *La courge musquée, l'une des courges d'hiver les plus courantes, est la plus riche en vitamines A et C. Sa peau est fine, de couleur caramel, et sa chair sucrée et noisetée. Pour obtenir la chair la plus abondante, choisissez une courge dont le cou est long et épais. De la même forme que son homonyme, la courge poivrée est une petite courge vert foncé avec un intérieur jaune à orange humide, riche en fibres.*

MEDLEY DE CHAMPIGNONS STROGANOFF

POUR 4 À 6 PERSONNES ▪ TEMPS DE PRÉPARATION : 20 MINUTES ▪ TEMPS DE CUISSON : 10 MINUTES

Les champignons remplacent le bœuf dans notre variation végétarienne du plat russe classique. Pour un impact et une texture accrus, combinez au moins trois types de champignons différents. Vous serez étonné de voir à quel point il est facile et rapide de préparer ce plat savoureux.

2 cuillères à soupe d'huile d'olive extra-vierge
2 échalotes, finement hachées
12 onces de champignons frais assortis (tels que shiitake, cremini, huître, bouton ou portobello), coupés en morceaux de la taille d'une bouchée.
¼ tasse de vin rouge corsé
2 cuillères à soupe de crème aigre
2 cuillères à café de pâte de tomate
½ cuillère à café de moutarde de Dijon
Sel
Poivre noir fraîchement moulu

1 Dans un four hollandais, chauffer l'huile d'olive à feu moyen-élevé. Ajoutez les échalotes et faites-les sauter doucement jusqu'à ce qu'elles soient ramollies mais pas brunes.

2 Ajoutez les champignons et faites-les cuire jusqu'à ce qu'ils commencent tout juste à ramollir. Incorporer le vin, la crème aigre, la pâte de tomate et la moutarde. Assaisonnez de sel et de poivre. Faites cuire, en remuant, pendant 2 à 3 minutes, jusqu'à ce que la sauce chauffe et devienne lisse.

CONSEIL DE CUISINE : *Pour compléter ce plat léger mais délectable, servez-le sur du riz brun ou des nouilles aux œufs, et garnissez-le de persil frais haché.*

PAINS & ROULEAUX

PAIN SODA IRLANDAIS

DONNE 1 PAIN TEMPS DE PRÉPARATION : 10 MINUTES TEMPS DE CUISSON : 1 HEURE

Le pain à la soude utilise du bicarbonate de soude comme agent levant au lieu de la levure. Les pains irlandais traditionnels utilisent de la farine de blé complet, de la farine blanche ou les deux. L'acide lactique contenu dans un autre ingrédient clé, le lait aigre, réagit avec le bicarbonate de soude pour former de minuscules bulles de dioxyde de carbone. Dans cette recette, l'avoine ajoute une texture croquante à ce classique intemporel.

4 tasses de farine complète
1 tasse de farine blanche
½ tasse d'un rouleau d'av av av avoine
1 cuillère à café de bicarbonate de soude
2 cuillères à café de sel
2½ tasses de lait sur (ou combiner 2 cuillères à soupe de vinaigre blanc avec 2½ tasses de lait)
Vaporisateur de cuisson

1 Préchauffer le four à 375°F.

2 Dans un grand bol, mélanger la farine de blé entier, la farine blanche, les flocons d'avoine, le bicarbonate de soude et le sel. Ajouter le lait caillé et remuer jusqu'à ce que le mélange soit bien humide et forme une pâte.

3 Placez la pâte sur une surface enfarinée et pétrissez-la jusqu'à ce qu'elle soit lisse, environ 5 minutes. Utilisez les mains farinées pour former la pâte en un rond. À l'aide d'un couteau tranchant, inscrivez une grande croix de ½ pouce de profondeur sur le dessus.

4 Enduire légèrement le four hollandais d'un spray de cuisson, et placer la pâte au centre. Couvrez, placez dans le four chauffé, et faites cuire pendant 1 heure, ou jusqu'à ce que le pain soit bien doré.

CONSEIL DE CUISINE : *Comment savoir si le pain est prêt ? Il y a plusieurs façons de vérifier : (1) Tapez la croûte avec votre ongle - si le pain sonne creux, il est prêt. (2) Insérez un cure-dent en bois près du centre du pain. S'il en ressort propre, il est complètement cuit. (3) Vérifiez la température - la pâte doit avoir une température interne d'environ 200°F.*

PAIN DE MAÏS SAVOUREUX

DONNE 1 PAIN ▪ TEMPS DE PRÉPARATION : 30 MINUTES ▪ TEMPS DE CUISSON : 20 À 25 MINUTES

Le maïs est cultivé depuis des milliers d'années par les peuples indigènes des Amériques, et préparé d'autant de manières différentes qu'il y a de cultures. Lorsque les Européens ont colonisé l'Amérique du Nord, ils ont adapté un grand nombre de ces techniques, qu'ils ont ensuite intégrées à leur cuisine européenne traditionnelle. Le pain de maïs tel que nous le connaissons est devenu vraiment populaire pendant la guerre civile, en raison de son faible coût et de sa polyvalence, se prêtant à de nombreuses méthodes différentes de cuisine sur le pouce. Aujourd'hui, il est plus que jamais un classique américain, surtout dans le Sud et le Sud-Ouest.

1¼ tasse de farine de maïs jaune
1¼ tasse de farine tout usage
2 cuillères à soupe de sucre
1¼ cuillère à café de levure chimique
½ cuillère à café de bicarbonate de soude
1¼ cuillère à café de sel (de préférence kasher ou marin)
1 gros œuf
1¾ tasse de babeurre
1 tasse de fromage cheddar râpé
½ tasse d'oignons verts hachés
3 cuillères à soupe de beurre non salé

1 Préchauffez le four à 400°F.

2 Dans un grand bol, mélanger la semoule de maïs, la farine, le sucre, la levure chimique, le bicarbonate de soude et le sel.

3 Dans un autre bol, fouetter ensemble l'œuf et le babeurre. Incorporer le mélange d'oeufs au mélange de farine.

4 Ajouter le fromage et les oignons verts au mélange de farine et d'œufs. Remuez.

5 Faire fondre le beurre dans le four hollandais à feu moyen, et le faire tourner pour recouvrir le fond et les côtés. Verser la pâte.

6 Couvrez, mettez au four et faites cuire pendant 20 à 25 minutes.

CONSEILS DE CUISINE : *L'ajout de fromage et d'oignons verts fait monter d'un cran cette recette classique de pain de maïs et en fait un compagnon idéal pour les chaudrées riches et crémeuses. Coupez en tranches épaisses pour servir.*

PAIN CLASSIQUE AU FOUR À HÂTE

DONNE 1 PAIN ▪ TEMPS DE PRÉPARATION : 3 À 5 HEURES ▪ TEMPS DE CUISSON : 1 HEURE

Avec une poignée d'ingrédients simples et sains, votre four hollandais peut produire un pain humide et fondant qui accompagnera à peu près n'importe quel plat. Bien que cette recette semble exiger beaucoup de temps de préparation, il s'agit simplement de laisser à la pâte le temps de lever, ce qui vous permet de vous consacrer à d'autres tâches.

4 tasses de farine tout-usage
1½ tasse d'eau
1 cuillère à café de levure instantanée
1½ cuillère à café de sel, divisée (de préférence du sel kasher ou du sel de mer)
Vaporisateur de cuisson
1 cuillère à soupe d'huile d'olive extra-vierge

1 Mélangez la farine, l'eau, la levure et une cuillère à café de sel dans le bol d'un batteur sur socle. À l'aide du crochet à pâte, pétrissez à vitesse moyenne pendant 5 à 10 minutes, ou jusqu'à ce que la pâte soit lisse et élastique.

2 Retirez le bol du batteur et couvrez-le d'une pellicule plastique. Laissez la pâte lever de 2 à 4 heures, ou jusqu'à ce qu'elle ait doublé de volume.

3 Transférez la pâte sur un plan de travail fariné, et pétrissez-la doucement pour libérer le gaz et redistribuer la levure. Utilisez vos paumes pour la façonner en une boule serrée.

4 Enduisez le fond et les côtés du four hollandais avec le spray de cuisson. Placez la pâte au centre de la marmite et couvrez. Laissez la pâte lever à nouveau pendant 40 à 50 minutes.

5 Préchauffez le four à 450°F.

6 Badigeonnez la surface de la pâte d'huile d'olive. À l'aide d'un couteau aiguisé, marquez le dessus avec des entailles chevauchantes de ½ pouce de profondeur. Saupoudrez avec la ½ cuillère à café de sel restante. Couvrez, mettez au four, et faites cuire pendant 30 minutes. Retirez le couvercle, réduisez la température du four à 375°F, et poursuivez la cuisson pendant 30 minutes, ou jusqu'à ce que le pain soit bien doré.

CONSEIL DES INGRÉDIENTS : *La levure est ce qui fait lever le pain, tout comme le bicarbonate de soude et la poudre à pâte font lever vos muffins et vos gâteaux. Parce que ses granules sont plus petits, la levure instantanée se dissout plus rapidement que la levure sèche active, ce qui signifie que vous pouvez la mélanger à votre pâte à pain avec le reste des ingrédients secs.*

PAIN AUX OLIVES ET AU PARMESAN

DONNE 1 PAIN TEMPS DE PRÉPARATION : 2½ À 4½ HEURES TEMPS DE CUISSON : 1 HEURE

Le parmesan et les olives donnent à ce pain fait maison une saveur méditerranéenne salée et savoureuse. Bien que le temps de préparation semble long, il s'agit simplement de laisser à la pâte le temps de lever. L'un des meilleurs endroits pour cela, en termes de chaleur et d'humidité, est votre four - assurez-vous simplement de ne pas l'avoir allumé.

4 tasses de farine tout usage
1 cuillère à café de levure instantanée
1 cuillère à café de sel
1½ tasse d'eau, divisée
1¼ tasse de fromage parmesan râpé, divisé
¾ tasse d'olives Kalamata, dénoyautées et coupées en deux.
Beurre ou aérosol de cuisson
1 cuillère à café d'huile d'olive extra-vierge

1 Versez la farine, la levure, le sel et 1 tasse d'eau dans le socle d'un batteur sur socle. À l'aide de l'accessoire crochet à pain, mélangez brièvement pour combiner les ingrédients. Une fois combinés, ajoutez la ½ tasse d'eau restante, 1 tasse de fromage râpé et les olives. Mélangez jusqu'à ce que la pâte soit bien combinée.

2 Retirez le bol du batteur et couvrez-le d'une pellicule plastique. Laissez la pâte lever jusqu'à ce qu'elle ait doublé de volume, soit 2 à 4 heures.

3 Lorsque la pâte est complètement levée, préchauffez le four à 450°F. Transférer la pâte sur une surface enfarinée et la pétrir doucement pour libérer les gaz. Utilisez des mains farinées pour former un rond.

4 Graisser le four hollandais avec du beurre ou un spray de cuisson. Placez la pâte au centre. Badigeonnez le dessus d'huile d'olive, et saupoudrez avec le ¼ de tasse de fromage restant.

5 Couvrir, placer dans le four chauffé et faire cuire pendant 30 minutes. Réduisez la chaleur à 375°F, et faites cuire jusqu'à ce que le pain soit doré, environ 30 minutes.

CONSEIL DE CUISSON : *Vérifiez que les boutons de votre four à hollandais peuvent aller au four à 450°F. Les boutons en acier inoxydable devraient convenir. Les boutons en acier inoxydable devraient convenir, mais certains boutons en phénolique (un type de plastique ou de résine conçu pour résister à des températures élevées) ne peuvent aller au four qu'à 375 °F. Si c'est le cas, vous devrez retirer le bouton du vôtre lorsque vous cuisez à des températures supérieures.*

PAIN DE MAÏS AUX JALAPEÑOS

DONNE 1 PAIN TEMPS DE PRÉPARATION : 20 MINUTES TEMPS DE CUISSON : 50 À 60 MINUTES

Le pain de maïs se transforme en une recette épicée du Sud-Ouest, grâce à l'ajout de piments, d'oignons et d'oignons verts. C'est l'accompagnement parfait d'un bol de chili brûlant. Et comme le pain de maïs est tout aussi bon le lendemain, vous pouvez l'utiliser pour éponger les restes.

1 tasse de farine de maïs jaune
¾ tasse de farine tout usage
¼ tasse de sucre
1 cuillère à café de levure chimique
¾ cuillère à café de sel
2 œufs, légèrement battus
¾ tasse de lait
¼ tasse d'huile végétale
¼ tasse d'oignon finement haché
¼ tasse d'oignons verts finement émincés
1 ou 2 piments jalapeño frais, épépinés et finement hachés.
Vaporisateur de cuisson

1 Préchauffez le four à 400°F.

2 Dans un bol moyen, mélanger la semoule de maïs, la farine, le sucre, la levure chimique et le sel.

3 Dans un petit bol, mélanger les œufs, le lait, l'huile végétale, l'oignon, les oignons verts et les piments jalapeños. Ajouter le mélange d'œufs au mélange de farine de maïs et remuer jusqu'à ce qu'il soit humide.

4 Enduire légèrement le four hollandais d'un spray de cuisson et y déposer la pâte à la cuillère.

5 Couvrez, mettez au four préchauffé et faites cuire de 50 minutes à 1 heure, ou jusqu'à ce qu'un cure-dent inséré près du centre en ressorte propre.

CONSEIL DE CONSERVATION : *Pour conserver le pain, couvrez-le d'une feuille d'aluminium ou d'une pellicule plastique, ou placez-le dans un sac de plastique, afin qu'il ne se dessèche pas. Le pain restera frais à température ambiante jusqu'à deux jours et se conservera au réfrigérateur pendant une semaine. Pour congeler, enveloppez les restes de pain dans une feuille d'aluminium ou une pellicule plastique pour la congélation, ou placez-les dans un sac de congélation résistant.*

PETITS PAINS ÉPÉPINÉS

DONNE 7 ROULEAUX▪ TEMPS DE PRÉPARATION : 2¾ À 3¾ HEURES▪ TEMPS DE CUISSON : 20 À 25 MINUTES

Moelleux, sucrés et garnis d'un mélange de graines croquantes, ces petits pains deviendront certainement les préférés de toute l'année. Passez-les autour de la table et accompagnez-les d'un bol de soupe chaud, d'un ragoût crémeux, d'une salade fraîche ou d'une omelette légère.

½ tasse de lait entier
3 cuillères à soupe de miel
¼ cuillère à café de sel marin
1½ cuillère à café de levure instantanée
3 cuillères à soupe de beurre en cubes
1¾ tasse de farine tout usage
Beurre ou spray de cuisson, pour graisser
1 blanc d'œuf, légèrement battu
1 cuillère à café de graines de sésame
1 cuillère à café de graines de pavot
1 cuillère à café de graines de lin

1 Dans un grand bol, mélangez le lait, le miel, le sel et la levure. Ajouter le beurre et la farine, et mélanger jusqu'à ce que les ingrédients soient bien combinés. Placez la pâte sur un plan de travail fariné. Pétrir la pâte jusqu'à ce qu'elle soit souple et pliable mais encore un peu collante, environ 5 minutes.

2 Transférer dans un bol. Couvrir d'une pellicule plastique et laisser la pâte lever pendant 2 à 3 heures, ou jusqu'à ce qu'elle ait doublé de volume.

3 Préchauffer le four à 400°F. Beurrer généreusement un four hollandais, ou l'enduire d'un spray de cuisson. Diviser la pâte en 7 morceaux égaux. Avec les mains farinées, former une boule avec chaque morceau. Placer une boule au centre du four hollandais et répartir les six autres boules autour.

4 Badigeonnez le dessus des rouleaux avec le blanc d'œuf. Saupoudrez généreusement les graines de sésame, les graines de pavot et les graines de lin. Couvrez et laissez reposer jusqu'à ce que les rouleaux soient légèrement levés et gonflés, environ 30 minutes.

5 Placez-les dans le four préchauffé et faites-les cuire pendant 20 à 25 minutes, ou jusqu'à ce que les dessus soient dorés.

CONSEIL DE CONSERVATION : *Pour conserver la levure, mettez-la dans un récipient hermétique (en verre ou en acrylique) et gardez-le au congélateur, où elle restera fraîche jusqu'à un an.*

PAIN AU CITRON

DONNE 1 PAIN ▪ TEMPS DE PRÉPARATION : 10 MINUTES ▪ TEMPS DE CUISSON : 35 À 40 MINUTES

Aucun parfum artificiel ne pourrait égaler l'arôme naturel de citron qui émane de votre cuisine lorsque vous faites cuire ce pain vibrant aux agrumes. Une quantité généreuse de jus et de zestes de citron mélangés à la pâte confère à ce pain une vivacité éclatante. Les graines de pavot ajoutent une texture croquante et un goût légèrement noiseté.

2 tasses de farine tout usage
¼ tasse de graines de pavot
1 cuillère à soupe de poudre à pâte
½ cuillère à café de sel
3 œufs, légèrement battus
1 tasse de sucre
½ tasse d'huile végétale
½ tasse de crème aigre
¼ tasse de lait
1 cuillère à café de zeste de citron finement râpé
¼ tasse de jus de citron
Beurre, pour graisser, ou spray de cuisson

1 Préchauffez le four à 400°F.

2 Dans un grand bol, combinez la farine, les graines de pavot, la levure chimique et le sel, et mélangez bien.

3 Dans un petit bol, mélanger les œufs, le sucre, l'huile végétale, la crème sure, le lait, le zeste et le jus de citron. Fouetter ensemble jusqu'à ce que le mélange devienne légèrement crémeux ou ait la texture d'un pudding.

4 Ajouter le mélange d'œufs au mélange de farine et remuer jusqu'à ce qu'il soit humide.

5 Graisser généreusement le four hollandais avec du beurre ou l'enduire d'un spray de cuisson, et verser la pâte à la cuillère dans le pot. Couvrez, placez dans le four chauffé et faites cuire pendant 35 à 40 minutes, ou jusqu'à ce que le dessus soit légèrement bruni et qu'il reprenne son élasticité lorsqu'on le touche avec un doigt.

CONSEIL DE CUISSON : *Une fois le pain sorti du four, laissez-le refroidir pendant 10 à 15 minutes avec le couvercle du four hollandais. Passez une spatule en plastique autour du bord du four hollandais pour détacher les côtés du pain. Videz-le délicatement sur une grille et laissez-le refroidir complètement.*

PAIN À LA NOIX DE COCO

DONNE 1 PAIN ▪ TEMPS DE PRÉPARATION : 20 MINUTES ▪ TEMPS DE CUISSON : 1 HEURE

Quelle meilleure façon d'inaugurer l'été - et de parfumer votre cuisine et votre maison - qu'une succulente recette aux saveurs antillaises de noix de coco et de citron vert ? Il n'est pas nécessaire de réserver un vol lorsque vous préparez un pain si délicieusement humide, sucré et transportable.

3 tasses de farine tout usage
2 cuillères à café de levure chimique
½ cuillère à café de sel
¾ tasse de noix de coco en flocons
½ tasse de lait de coco non sucré
1 tasse de crème de noix de coco
½ tasse d'huile végétale
3 blancs d'oeufs
½ tasse de sucre
1 cuillère à soupe de zeste de citron vert finement haché
¼ tasse de jus de citron vert
Beurre, pour graisser, ou spray de cuisson

1 Préchauffez le four à 400°F.

2 Dans un grand bol, mélangez la farine, la levure chimique, le sel et la noix de coco en flocons.

3 Dans un bol moyen, mélanger le lait de coco, la crème de coco, l'huile végétale, les blancs d'œufs, le sucre, le zeste et le jus de citron vert. Ajouter le mélange de lait de coco au mélange de farine et remuer jusqu'à ce qu'il soit humide.

4 Graisser le four hollandais avec du beurre ou l'enduire d'un spray de cuisson, et verser la pâte à la cuillère dans le pot. Couvrez, placez dans le four préchauffé et faites cuire pendant 1 heure, ou jusqu'à ce qu'un cure-dent en bois en ressorte propre.

CONSEIL D'INGREDIENTS : *La crème de coco est au lait de coco ce que le lait concentré est au lait ordinaire. Elle est obtenue en écumant la couche épaisse et riche de crème qui se forme sur le dessus du lait de coco. Bien qu'il ait une texture riche et beurrée et un délicieux goût de noix de coco, il n'est étonnamment pas très sucré. Vous le trouverez avec les mélanges pour boissons dans le rayon des alcools de votre supermarché ou dans votre magasin de spiritueux local.*

PAIN SODA IRLANDAIS AU ROMARIN ET À L'AIL

DONNE 1 PAIN ▪ TEMPS DE PRÉPARATION : 30 MINUTES ▪ TEMPS DE CUISSON : 35 À 40 MINUTES

Dans l'Irlande du XIXe siècle, le pain de soda était généralement cuit dans une grande marmite en fer noir à trois pieds, sur un feu de gazon, ce qui en fait un compagnon idéal pour le four hollandais. Avec l'ajout d'ail et de romarin, ce pain artisanal est un compagnon idéal pour tout, d'une salade estivale légère à un plat de pâtes copieux.

2½ tasses de farine tout usage
1 tasse de farine de blé entier
1½ cuillère à café de bicarbonate de soude
1 cuillère à café de sel
3 cuillères à soupe de sucre
1 cuillère à café de romarin séché
3 gousses d'ail, émincées
1 tasse de babeurre
1 gros œuf, battu
3 cuillères à soupe de beurre non salé, fondu
Vaporisateur de cuisson

1 Préchauffez le four à 400°F.

2 Dans un grand bol, mélangez la farine tout usage, la farine complète, le bicarbonate de soude, le sel et le sucre. Ajouter le romarin et l'ail. Remuer.

3 Dans un petit bol, mélanger au fouet le babeurre, l'œuf et le beurre fondu.

4 Ajoutez le mélange de babeurre au mélange de farine, et remuez avec une cuillère en bois jusqu'à ce que la pâte ait une consistance collante.

5 Retournez la pâte sur une surface farinée, et utilisez vos mains pour la façonner en une boule. Saupoudrez le dessus de la pâte de farine. À l'aide d'un couteau tranchant, découpez une croix de ½ pouce de profondeur sur le dessus.

6 Enduire légèrement le four hollandais d'un spray de cuisson. Placez la pâte au centre. Couvrez, placez dans le four préchauffé et faites cuire pendant 20 minutes. Retirez le couvercle et faites cuire pendant 15 à 20 minutes, ou jusqu'à ce que le dessus soit bien doré.

CONSEIL DE CUISINE : *Les croix pratiquées sur le dessus des pains leur permettent de s'étendre librement et de former des "oreilles", c'est-à-dire des rabats de croûte soulevés sur le bord d'une coupe.*

PAIN AU PARMESAN ET AU ROMARIN

DONNE 1 PAIN · TEMPS DE PRÉPARATION : 20 MINUTES · TEMPS DE CUISSON : 1 HEURE

Vous n'en reviendrez pas de la saveur et de l'humidité de ce pain croustillant de style paysan, ni du fait qu'il soit si facile à faire ! Il est idéal servi avec des soupes, des ragoûts, des salades ou des pâtes fraîches.

1½ tasse d'eau chaude
1 paquet de levure sèche active
3 tasses de farine tout-usage
3 cuillères à soupe de farine complète
½ tasse de fromage parmesan finement râpé
1 cuillère à soupe de romarin frais, haché
1½ cuillère à café de sel
Vaporisateur de cuisson

1 Dans un grand bol, fouettez l'eau chaude et la levure ensemble. Laissez reposer pendant environ 10 minutes, ou jusqu'à ce que le mélange soit mousseux.

2 Ajouter la farine tout usage, la farine complète, le fromage, le romarin et le sel. Remuez jusqu'à ce que le mélange forme une boule, environ 1 minute. Couvrir le bol d'une pellicule plastique et laisser reposer jusqu'à ce que la pâte double de volume, de 2 à 4 heures.

3 Lorsque la pâte a levé, préchauffer le four à 400°F. Placez la pâte sur un plan de travail fariné et façonnez-la en une boule avec les mains farinées.

4 Enduire légèrement le four hollandais d'un spray de cuisson, et placer la pâte au centre.

5 Couvrez, placez dans le four chauffé, et faites cuire pendant 50 à 55 minutes. Retirez le couvercle, remettez la marmite dans le four, et laissez cuire quelques minutes, jusqu'à ce que le pain soit doré.

CONSEILS SUR LES INGRÉDIENTS : *Contrairement à la levure instantanée, la levure sèche active doit être "activée" en l'ajoutant à de l'eau légèrement plus chaude que tiède - 10°F est l'idéal. Elle est généralement vendue en paquets de trois ou quatre et doit être conservée à température ambiante. Par rapport à la levure instantanée, elle a un temps de levée plus long que de nombreux boulangers préfèrent : Le temps de fermentation plus long permet au pain de développer plus de saveur.*

DESSERTS

PUDDING AU CHOCOLAT

POUR 4 À 6 PERSONNES ▪ TEMPS DE PRÉPARATION : 20 MINUTES ▪ TEMPS DE CUISSON : 1 À 1¼ HEURE

Le pouding au pain est omniprésent dans de nombreuses cultures, et pour une bonne raison ! Il s'agit d'une transformation simple et brillante des ingrédients de base de la cuisine (pain, œufs, lait et sucre) en bouchées alléchantes. Quelques ajouts délectables - dans ce cas, du chocolat fondu et les saveurs de la cannelle, de la vanille et des amandes - transforment ce pudding classique en un dessert vraiment décadent.

Beurre, pour graisser
8 tasses de pain sucré (tel que challah ou brioche), coupé en cubes de 1 pouce
¼ tasse de beurre non salé fondu
1 tasse de sucre
½ tasse de cacao en poudre
2 cuillères à café de cannelle
1 cuillère à café d'extrait de vanille
½ cuillère à café d'extrait d'amande
¼ cuillère à café de sel
3 tasses de lait entier
4 gros œufs
½ tasse de pépites de chocolat, divisées

1 Préchauffer le four à 350°F.

2 Graisser généreusement un four hollandais avec du beurre.

3 Mélanger les cubes de pain avec le beurre fondu et les disposer dans le four hollandais. Faire cuire pendant 8 à 10 minutes, ou jusqu'à ce que le pain soit légèrement doré.

4 Dans un grand bol, combinez le sucre, la poudre de cacao, la cannelle, la vanille, l'extrait d'amande et le sel. Ajoutez le lait et les œufs, et fouettez jusqu'à ce que le mélange soit homogène. Ajouter les cubes de pain et plier jusqu'à ce qu'ils soient uniformément humidifiés. Laissez reposer pendant 15 à 20 minutes, en pliant une ou deux fois, jusqu'à ce que les cubes de pain aient absorbé la majeure partie du liquide.

5 Remettez la moitié du mélange de pain dans le four hollandais. Saupoudrez de ¼ de tasse de pépites de chocolat. Versez le reste du mélange de pain, et recouvrez avec le ¼ de tasse restant de pépites de chocolat.

6 Couvrez, remettez la marmite au four et faites cuire pendant 1 à 1¼ heure, ou jusqu'à ce que le dessus soit gonflé et qu'un couteau inséré près du centre en ressorte presque propre.

CONSEIL DE CUISINE : *Pour servir, arrosez de dulce de leche. Le dulce de leche, une pâte à tartiner épaisse, crémeuse et au goût intense, est une combinaison de lait et de sucre qui a été lentement cuite jusqu'à ce que les sucres soient caramélisés. Il est très populaire en Amérique latine, et on le trouve aussi largement chez nous. Vous pouvez aussi le préparer vous-même ! Videz une boîte de lait concentré de 12 onces dans votre four hollandais, et remuez continuellement à feu moyen-doux jusqu'à ce que vous puissiez retourner une cuillère à soupe refroidie sans que le dulce de leche ne tombe.*

CRISP DE POIRE

POUR 6 PERSONNES▪ TEMPS DE PRÉPARATION : 15 MINUTES▪ TEMPS DE CUISSON : 20 À 25 MINUTES

La saison des poires commence lorsque les Bartlett commencent à apparaître sur le marché à la fin de l'été ; elles sont bientôt suivies des variétés Bosc, Comice et Anjou. Cette recette remplit votre maison de l'arôme des poires, combiné aux épices réconfortantes de la cannelle, de la noix de muscade et de la cardamome.

6 cuillères à soupe de beurre non salé, à température ambiante, plus un supplément pour le graissage
8 poires, pelées et coupées en cubes de 1 pouce
½ cuillère à café de cannelle
½ cuillère à café de noix de muscade
½ cuillère à café de cardamome
½ tasse de sucre brun
1½ tasse d'avoine
½ tasse de noix hachées
2 cuillères à soupe de farine tout usage
Pincée de sel

1 Préchauffer le four à 350°F.

2 Graisser un four hollandais avec du beurre.

3 Dans un bol moyen, mélanger les poires, la cannelle, la muscade et la cardamome.

4 Dans un autre bol, mélangez la cassonade, l'avoine, les noix, la farine, les 6 cuillères à soupe de beurre restantes et le sel. Remuez avec une fourchette jusqu'à ce que des miettes de taille moyenne commencent à se former.

5 Dans le fond du four hollandais, placer les poires. Recouvrir du mélange d'avoine.

6 Couvrez, mettez au four préchauffé et faites cuire pendant 20 à 25 minutes, ou jusqu'à ce que les poires soient tendres et que la croûte soit dorée.

CONSEIL D'INGREDIENT : *Bien que les Bartlett soient un excellent choix en début de saison, passez aux Bosc dès qu'elles arrivent sur les étals. Comme leur chair est plus ferme que celle des autres variétés de poires, les Boscs sont idéales pour la cuisson au four, le grillage et le pochage. De plus, elles ont un goût distinctif qui risque moins d'être écrasé par l'ajout d'une épice forte, comme la cannelle, la muscade ou la cardamome.*

CROUSTILLANT À LA RHUBARBE ET AUX FRAISES

POUR 6 À 8 PERSONNES ▪ TEMPS DE PRÉPARATION : 20 MINUTES ▪ TEMPS DE CUISSON : 35 À 40 MINUTES

Mélange parfait d'acidulé et de sucré, l'association de la rhubarbe et de la fraise fait de ce dessert un véritable casse-croûte. Bien que la rhubarbe soit un légume vivace (utilisé comme fruit dans les desserts et les confitures), la période idéale pour préparer ce plat se situe entre le milieu du printemps et le mois de juillet, les tiges devenant plus dures au cours de l'été. Servir chaud avec de la crème glacée à la vanille pour un plaisir encore plus spécial.

6 cuillères à soupe de beurre, plus un supplément pour le graissage
3 tasses de rhubarbe coupée en tranches
3 tasses de fraises coupées en tranches
¾ tasse de sucre
1 cuillère à soupe de fécule de maïs
¾ tasse de farine
¾ tasse de sucre brun
½ tasse de flocons d'avoine
½ cuillère à café de cannelle

1 Préchauffer le four à 350°F.

2 Graisser un four hollandais avec du beurre.

3 Dans un grand bol, mélanger la rhubarbe, les fraises, le sucre et la fécule de maïs. Déposer le mélange de fruits dans le four hollandais.

4 Mélangez la farine, la cassonade et les 6 cuillères à soupe de beurre restantes, et utilisez deux fourchettes pour mélanger jusqu'à ce que le mélange ressemble à des miettes grossières. Ajoutez les flocons d'avoine et la cannelle. Mélangez à nouveau. Déposez la garniture sur le mélange de fruits.

5 Couvrez la casserole et faites cuire pendant 35 à 40 minutes, ou jusqu'à ce que le dessus soit légèrement bruni et croustillant.

CONSEIL D'INGREDIENT : *Parce qu'elle est extrêmement résistante aux maladies, la rhubarbe est l'une des cultures les moins pulvérisées ou traitées, ce qui signifie que la culture conventionnelle est presque équivalente à la culture biologique. Lorsque vous achetez de la rhubarbe, vérifiez les deux extrémités des tiges pour vous assurer qu'elles ne sont pas desséchées. Réfrigérer et utiliser dans les jours qui suivent ou congeler.*

CRUMBLE AUX CERISES ET AUX AMANDES

POUR 4 À 6 PERSONNES TEMPS DE PRÉPARATION : 20 MINUTES TEMPS DE CUISSON : 35 À 40 MINUTES

Ce crumble aux baies et aux noix n'est pas seulement délicieux à croquer, c'est aussi un dessert fabuleux à servir à des personnes souffrant de sensibilités alimentaires. La farine d'amande permet de ne pas consommer de blé, et si vous remplacez le beurre par de la margarine, ce dessert est également adapté aux régimes sans produits laitiers et végétaliens. Il est parfait accompagné d'une glace à la vanille ou aux amandes, préparée avec ou sans produits laitiers.

1 tasse de flocons d'avoine
¾ tasse de sucre, divisé
1 tasse de farine d'amande
¼ cuillère à café de bicarbonate de soude
2 pincées de sel, divisées
3 cuillères à soupe de beurre
½ tasse d'amandes hachées (de préférence Marcona)
3 tasses de cerises fraîches dénoyautées
½ cuillère à café de cannelle moulue

1 Préchauffer le four à 350°F.

2 Dans un robot culinaire, combinez l'avoine, ¼ tasse de sucre, la farine d'amande, le bicarbonate de soude et 1 pincée de sel. Pulser. Ajouter le beurre, et pulser jusqu'à ce qu'il soit combiné. Incorporer les amandes hachées. Dans un four hollandais, répartissez uniformément le mélange de crumble.

3 Dans un grand bol, combinez la ½ tasse de sucre restante, les cerises, la cannelle et la 1 pincée de sel restante. Répartissez le mélange de cerises sur le mélange de crumble dans le four hollandais.

4 Couvrez, mettez au four préchauffé et faites cuire pendant 35 à 40 minutes, ou jusqu'à ce que les fruits bouillonnent et que la croûte soit dorée.

CONSEIL D'INGREDIENT : *Originaire d'Espagne, l'amande Marcona est devenue très populaire grâce à l'intérêt croissant pour la cuisine espagnole. Plus rondes et plus dodues que les variétés que nous avons l'habitude de voir, elles ont un goût plus doux et plus délicat, plus proche de celui de l'extrait d'amande, ce qui les rend parfaites pour les desserts et les pâtisseries. Des restes ? Ces amandes constituent un en-cas savoureux, un accompagnement sophistiqué pour un plateau de fromage ou une garniture satisfaisante pour les salades.*

POIRES POCHÉES AU VIN BLANC ET AUX ÉPICES

POUR 4 PERSONNES TEMPS DE PRÉPARATION : 10 MINUTES TEMPS DE CUISSON : 30 MINUTES

Bien que cette recette nécessite du Riesling, vous pouvez utiliser n'importe quel vin blanc fruité, comme le Pinot Grigio ou le Muscat. Si vous pouvez en trouver, choisissez un Riesling allemand Auslese ou Spatlese, qui présente un bel équilibre entre douceur et acidité qui complète les poires et les épices.

1 bouteille de Riesling de 750 ml
1 cuillère à café de clous de girofle entiers
1 cuillère à café de gousses de cardamome
2 bâtons de cannelle
2 bandes d'écorce d'orange, ½ pouce de large sur 2 pouces de long
4 poires, épépinées et épluchées, coupées en deux

1 Dans un grand four hollandais, portez le Riesling, les clous de girofle, la cardamome, la cannelle et le zeste d'orange à ébullition à feu moyen-élevé.

2 Ajoutez les poires. Mettez une assiette au-dessus d'elles comme poids pour les maintenir immergées dans le liquide.

3 Réduire le feu à moyen-doux. Laissez mijoter jusqu'à ce que les poires soient tendres, environ 25 minutes.

4 Servez les poires avec le liquide de pochage (sans les épices et le zeste d'orange) versé à la cuillère sur le dessus.

CONSEIL DE CUISINE : *Retirez la peau de l'orange à l'aide d'un économe. Veillez à ne prendre que la partie orange de la peau, en laissant la partie blanche amère (la moelle) sur l'orange.*

BRANDY BANANE FLAMBÉE

POUR 6 À 8 PERSONNES ▪ TEMPS DE PRÉPARATION : 10 MINUTES ▪ TEMPS DE CUISSON : 10 MINUTES

C'est, sans conteste, l'apothéose la plus impressionnante possible pour un dîner de fête. Non seulement ce flambage est spectaculaire et délicieux, mais il est incroyablement facile et rapide à préparer. Avec seulement quatre ingrédients, vous pouvez terminer n'importe quelle soirée sur une bonne note.

5 cuillères à soupe de beurre non salé
6 bananes coupées en fines tranches
4 cuillères à café de sucre brun
¾ tasse de brandy (ou cognac)

1 Dans un four hollandais à feu moyen-élevé, faire fondre le beurre. Faire sauter les bananes en les saupoudrant de sucre brun et en remuant jusqu'à ce qu'elles soient légèrement caramélisées.

2 Dans une petite casserole, faites chauffer le brandy.

3 Versez le brandy à peine réchauffé sur les bananes. Craquez une allumette, reculez, et enflammez soigneusement l'alcool dans la marmite. Secouez légèrement la casserole pour que la flamme s'éteigne et servez directement dans le four à hollandais. Garnissez de crème fouettée ou de crème glacée.

CONSEIL DE CUISINE : *Quelques ajustements simples vous aideront à perfectionner votre technique de flambage : (1) Assurez-vous que toute ventilation aérienne est éteinte. (2) Utilisez des allumettes longues, de la longueur d'une cheminée. (3) Tenez-vous à une distance d'au moins un bras de la casserole pour éviter que vos cheveux ou vos vêtements ne prennent feu.*

GÂTEAU AUX BAIES MÉLANGÉES

POUR 4 À 6 PERSONNES TEMPS DE PRÉPARATION : 10 MINUTES TEMPS DE CUISSON : 50 MINUTES

Cette recette est une variante du clafoutis français, qui est un dessert chaud et épais à base de cerises cuites dans une pâte à tarte. Ici, nous avons utilisé des baies mélangées pour donner un goût juteux qui éclate dans la bouche. Servez avec un peu de sucre en poudre et une cuillerée de crème fraîche.

Beurre, pour graisser
3 œufs
1 tasse de lait
¼ tasse de crème épaisse
½ tasse de farine
1 cuillère à café d'extrait de vanille
½ tasse de sucre
2 tasses de baies mélangées

1 Préchauffer le four à 350°F.

2 Graisser un four hollandais avec du beurre.

3 Dans un batteur sur socle, mélangez les œufs, le lait, la crème, la farine, la vanille et le sucre, et mixez à vitesse élevée pendant 30 secondes.

4 Verser 1 tasse de pâte dans le four hollandais. Couvrez, placez dans le four préchauffé et faites cuire pendant 5 à 7 minutes.

5 Retirez du four et disposez les baies sur le dessus. Versez le reste de la pâte sur les fruits.

6 Remettez au four et faites cuire pendant 45 minutes, ou jusqu'à ce que les aliments soient dorés et qu'un couteau inséré au centre en ressorte presque propre.

CONSEIL DE SUBSTITUTION : *Ce plat peut être réinventé à l'infini en y substituant les fruits frais de votre choix (ou, si vous êtes coincé, des fruits surgelés). Une variation particulièrement délicieuse est la pêche. Remplacez le mélange de baies par 2 pêches moyennes, pelées et tranchées finement.*

CRUMBLE AUX POIRES ET AUX CANNEBERGES

POUR 6 À 8 PERSONNES TEMPS DE PRÉPARATION : 20 MINUTES TEMPS DE CUISSON : 45 MINUTES

L'automne est la saison idéale pour les canneberges, dont la saveur et la couleur sont à leur apogée de la mi-septembre à la mi-novembre. Mais vous pouvez préparer ce plat acidulé mais tellement sucré à tout moment de l'année en remplaçant les baies par des baies congelées. Les notes de sirop d'érable, de cannelle et de muscade apportent un soupçon de chaleur épicée, tandis que les noix ajoutent à la texture riche et noisetée. Servez avec de la crème glacée à la vanille !

5 grosses poires, pelées, évidées et tranchées
1 livre de canneberges fraîches ou congelées
2 cuillères à soupe de sirop d'érable
⅓ tasse de sucre
½ cuillère à thé de cannelle, divisée
¼ cuillère à café de noix de muscade
1 tasse de flocons d'avoine
⅔ tasse de cassonade
1 bâton plus
2 cuillères à soupe de beurre, coupé en morceaux de ½ pouce
½ tasse de farine tout usage
½ tasse de noix de Grenoble hachées

1 Préchauffer le four à 350°F.

2 Dans un four hollandais, combinez les poires et les canneberges, et arrosez-les avec le sirop d'érable. Ajoutez le sucre, ¼ de cuillère à café de cannelle et la noix de muscade. Mélangez le tout jusqu'à ce que le tout soit bien mélangé.

3 Dans un bol, combinez l'avoine, la cassonade, le beurre, la farine, le ¼ de cuillère à café restant de cannelle et les noix hachées. Utilisez le bout de vos doigts pour mélanger grossièrement. Saupoudrez le mélange d'avoine sur les fruits et tapotez légèrement.

4 Couvrez, placez la marmite dans le four préchauffé et faites cuire pendant environ 45 minutes, jusqu'à ce que les poires soient tendres et que la croûte soit dorée.

CONSEIL NUTRITION : *La plupart des canneberges sont récoltées à l'eau, ce qui signifie qu'elles sont cultivées dans des tourbières et que les baies flottent à la surface de l'eau. Les recherches montrent que cette exposition accrue à la lumière naturelle du soleil augmente non seulement les phytonutriments qui donnent à la canneberge sa couleur rouge étonnante, mais aussi ses propriétés antioxydantes et anti-inflammatoires, faisant de la canneberge un fruit super sain.*

POMMES AU FOUR AVEC SAUCE CARAMEL

POUR 6 PERSONNES▪ TEMPS DE PRÉPARATION : 15 MINUTES▪ TEMPS DE CUISSON : 20 À 25 MINUTES

Rien ne vaut l'arôme de ces pommes cuites au four et parfumées à la cannelle. Cette recette est une fin rafraîchissante, légère et délicieuse pour un repas du soir copieux. Nappée de sauce au caramel, c'est aussi le moyen idéal de satisfaire une envie de sucré. Ajoutez une cuillerée de crème fouettée et regardez vos invités se pâmer.

1 bâton (8 c. à soupe) de beurre, divisé
6 pommes, pelées et évidées (de préférence Fuji)
½ tasse de sucre cristallisé, divisée
1½ cuillère à café de cannelle
1¼ tasse de cassonade
3 cuillères à soupe d'eau

1 Préchauffer le four à 325°F.

2 Graissez un four hollandais avec 1 cuillère à soupe de beurre.

3 Coupez une petite partie du fond de chaque pomme pour créer une surface plane. Placez les pommes, côté coupé vers le bas, dans le four hollandais. Couper 3 cuillères à soupe de beurre en deux et placer un morceau sur chaque pomme.

4 Dans un petit bol, mélanger le sucre cristallisé et la cannelle, et saupoudrer sur les pommes. Couvrir et cuire au four jusqu'à ce que le sucre soit fondu, de 15 à 20 minutes. Disposez les pommes sur des assiettes de service.

5 Dans le faitout, mélangez la cassonade, les 8 cuillères à café de sucre cristallisé restantes et l'eau. Portez à ébullition à feu moyen et faites cuire jusqu'à épaississement, environ 5 minutes, en remuant souvent. Incorporer le reste du beurre en fouettant. Verser la sauce au caramel sur chaque pomme.

CONSEIL D'INGREDIENTS : *Toutes les pommes ne sont pas égales. Les pommes Fuji sont l'une des variétés les plus sucrées. Nommée d'après le mont Fuji au Japon, elle a été mise au point à la fin des années 1930 en mélangeant deux variétés américaines classiques - Red Delicious et Virginia Ralls Janet. Les Fuji sont également d'excellentes pommes de conservation, elles sont donc disponibles toute l'année.*

GÂTEAU AUX AMANDES

POUR 6 À 8 PERSONNES ▪ TEMPS DE PRÉPARATION : 10 MINUTES ▪ TEMPS DE CUISSON : 30 MINUTES

Moelleux, délicieux et d'un goût presque universel, le gâteau aux amandes est un plat classique qui complète n'importe quel repas, à n'importe quel moment de l'année. Il est simple à préparer et polyvalent. Servez-le avec un peu de sucre en poudre, garnissez-le de tranches d'amandes grillées ou garnissez-le d'un mélange de baies juteuses.

8 cuillères à soupe de beurre non salé, à température ambiante, plus un supplément pour le graissage
7 onces de pâte d'amande
3 gros œufs
1 cuillère à soupe de rhum ou d'amaretto
2 gouttes d'extrait d'amande
⅓ tasse de farine tout usage
½ cuillère à café de levure chimique

1 Préchauffer le four à 350°F.

2 Graisser un four hollandais avec du beurre.

3 Dans un bol, combinez la pâte d'amande, les 8 cuillères à soupe de beurre restantes, les œufs, le rhum et l'extrait d'amande, et mélangez le tout à l'aide d'une spatule.

4 Incorporer la farine et la levure chimique à la pâte à gâteau. Déposer à la cuillère dans le four hollandais.

5 Couvrez, placez le pot dans le four préchauffé et faites cuire pendant 30 minutes, ou jusqu'à ce que le dessus du gâteau soit doré et qu'un couteau inséré au centre en ressorte presque propre.

CONSEIL DE CUISINE : *Pour un gâteau garni de baies, badigeonnez le dessus du gâteau avec un mélange de 1 cuillère à soupe de sucre et 1 cuillère à soupe d'eau chaude. Utilisez 1 tasse de baies légèrement sucrées (nous aimons un mélange de framboises, de myrtilles et de mûres) pour paver le dessus du gâteau. Garnissez chaque portion d'une cuillerée de crème fouettée avec un soupçon d'extrait d'amande.*

PUDDING CLASSIQUE AU PAIN

POUR 6 À 8 PERSONNES TEMPS DE PRÉPARATION : 30 MINUTES TEMPS DE CUISSON : 1 HEURE

Ce dessert est le choix parfait pour le jour où le garde-manger est vide. Tout ce dont vous avez besoin est du pain, des œufs, du lait et du sucre. Bien que le pain sucré soit idéal, n'importe quel pain ayant atteint sa maturité fera l'affaire. Arrosez chaque plat de sirop de caramel chaud (vous le trouverez dans le rayon des glaces de votre supermarché), et votre famille en redemandera.

Beurre, pour graisser
9 à 10 tasses de pain (idéalement un pain sucré, comme le challah ou la brioche), coupé en cubes de 1 pouce
3 œufs, légèrement battus
4 tasses de lait
½ tasse de sucre
1 cuillère à café d'extrait de vanille
¼ cuillère à café de sel

1 Chauffer le four à 325°F.

2 Graisser un four hollandais avec du beurre, et ajouter les cubes de pain.

3 Dans un grand bol, mélangez les œufs, le lait, le sucre, la vanille et le sel. Versez le mélange d'œufs sur les cubes de pain. À l'aide du dos d'une cuillère en bois, appuyez légèrement pour humidifier le pain. Laissez reposer pendant 15 à 20 minutes, en pliant le mélange une ou deux fois, jusqu'à ce que les cubes de pain aient absorbé la majeure partie du liquide.

4 Couvrez la marmite, placez-la dans le four chauffé et faites cuire pendant 1 heure, ou jusqu'à ce que la viande soit dorée.

CONSEIL DE SUBSTITUTION : *Le challah est le pain traditionnel du sabbat juif, fabriqué avec de la levure et des œufs. Il est merveilleusement moelleux et riche, ce qui en fait un choix idéal pour le pudding au pain. Une autre excellente option, encore plus riche, est la brioche de style français, qui contient généralement du beurre ainsi que des œufs. Parmi les autres options, citons le pain sucré portugais, le pain sucré hawaïen ou les croissants. Mais si vous êtes pressé, n'importe quel type de pain fera l'affaire.*

Lightning Source UK Ltd.
Milton Keynes UK
UKHW030249061222
413451UK00008B/159